撮影　須藤絢乃

親切《シンセツ》人間論《ニンゲンロン》

水野《ミズノ》しず《シズ》

講談社
KODANSHA

はじめに

「自分の考えを持て」って、やたらとしきりに急かすように四方八方から言われますが、どうなんでしょう。無重力の世界で、今すぐ地に足をつけろと言われているような無理難題。今の世の中はあまりにも複雑すぎて、オリジナルの考えを持つどころか、身の回りで何が起こっているのかすらも判然とせず、みな途方に暮れているような気がする。ビジネス書の解説動画を倍速視聴しながら、アイロンがけをしたりして、一体この命がどこに向かって急ぐのかよけいに訳が分からなかったりして。

この右腕も左腕も、果たしてなんのためにぶら下がっているのか。分からない。なによりこの心は、なんのために崖を転がり落ちるほどの絶望に苛《さいな》まれたりあるいは神経細胞を伝達する光よりも速く時間すら超えて躍動するのか。それも分からない。ただ無数の情報が激動するまま、人の心が大きな波に飲まれて翻弄されているという意味では、いよいよ石と棍棒が大活躍する時代が近づいているようにも思えてくる。まともな人間性。そんなものでは生きていけないが、そんなものがないんだったらそもそも生きている意味がない。もはや我々は、地に足をつけようがない領域に達していると認めた上で、改めて根底から新しい「まともさ」についてよくよく考えたい。それも親切に。0《ゼロ》から、誰も置いていかないように。以上が本書の趣旨ですが、あまり気にしなくて大丈夫なので、好きな場所から好き勝手に読んでお楽しみください。

2 マシ

3 演繹《えんえき》

残像として意志として

親切人間論

1

気さく

本は全部読まなくてOK

私はじっとしているのが苦痛なほうなので、家で映画を観るのが苦手だったのですが、ある日突然

「映画はがんばってちゃんと観なくてもいいし、岩にかじりつくように観てもいい。理解しなくてもいいし、別物になるくらい独自解釈をしすぎてもいい。全部観なくてもいいし、同じシーンばかり執拗に50回観てもいい」

と気がついてしまいました。これは本当にそうです。なぜなら映画好きな人は口を揃えて「映画を観てもストーリーを全然覚えてないし観ながら自分が何考えてたかも覚えてないし、何なら観たかどうかも覚えてない」と、言っているからです。マジですか？　これは、マジです。言い方は人それぞれですが、日常的に観る本数が多い人ほどこういった態度で映画に接している傾向があるのです。つまり

『映画を楽しむコツ＝そんなにちゃんと観ない』

確かに、考えてみると私は映画を観るハードルが高すぎて苦痛になっていたのかもしれません。私にとって映画を観るとは、つまり

- ストーリー、出来事の把握
- 構造の理解、分析
- 現実にフィードバック可能なテーマの読解
- これらに対する自分なりの切断面を持った解釈の付与

を全部やるものだ、と誰に言われた訳でもないのに勝手に思い込んでいました。それも、全くの無意識で。つまり内心のハードルの高さにサッパリ気がついていなかったのです。

でも映画って、そんなに頑張らなくても（受動的で何もしなくても）勝手にこちらの脳細胞にエンタメを突っ込んできて興奮する神経をガタガタ言わし、エンジョイできるよう大変親切に作られている。

そんなの当然すぎて「コンビニは24時間やっているので、夜中も便利と気がつきました！」みたいな話ですが。

もっと言えば、映画館に行くだけで楽しい。そもそも暗い密室で知らん人々と大画面・大音量で観るだけでも花火大会のような盛り上がり感がある。

なぜなら映画はポップコーン片手に、コーラ瓶をもう片手にバカでかい画面で楽しむ『楽しすぎ大会』だから。

映画好きの人からしたら既に噴飯ものの話かもしれませんが、上記のような「ハードルを上げすぎて楽しみづらくなっている現象」は、案外誰でも馴染みの薄いメディアを味わうときには起こりがちなのではないかと思ったのです。

なぜならば、ＳＮＳで

「本を読むのがすごく大変で、読みたいと思っているけどなかなか読み進めることができない。読みたい気持ちだけが積み上げられていく」
という意見をしばしば聞くからです。

日常的に本を読みまくっている自分からすると、本はどこでも開いたら読めるし、書いてあることを読むだけなのでなぜそうなるのか分からない部分があったのですが、自分が無意識に抱えていた映画に対するハードルの高さに置き換えて考えてみると見えてくるものがあります。つまり、私自身も本を読むときには「本を読んでも内容全然覚えてないし読みながら自分が何考えてたかも覚えてないし、何なら読んだかどうかも覚えてなかったりする」という感覚があったのです。

やはりここに『ハードルの違い』があるのではないか。

であれば、本がなかなか読めなくて困っているという人も「ハードル下げのコツ」さえ分かれば気軽に本を読めるようになるはずです。別に本は読めなくても問題ないのですが、映画というメディアがおおよそ2時間で一つの世界を丸ごと楽しめるという結構な得があるように、本も数百円でどこにいても練り上げられた内容を楽しめるという、これまた相当の得があります。

個人的には、この世の値段がついている商品の中で「本は最も内容の価値に対して価格が安く異常にお得」と思っています。映画もそうですが、複製芸術というものが一個人に惜しみなく与えてくれる価値の源泉のエネルギーって、すごい。先日『もののけ姫』を劇場で観たのですが、これが複製芸術でなければ貴族しか触れることができない常軌を逸した程血と汗が流し込まれた贅沢極まりない作品なのに、複製可能であるためにたった

1000円、子供でも体験できる事実に改めて驚愕してしまいました。

（複製芸術＝複製してもそのもの自体の体験的価値が変わらない芸術）

ただ、本は映画と違って受動的な姿勢で楽しめるエンターテインメントとしては作られていないので慣れ親しんでいない場合はコツが分からなくてハードルの下げ方が分かりにくいかもしれません。そこで、大胆にハードルを下げるコツをまとめてみました。

【目次だけ読めばいい】

かなり極端な意見ですが、目次を読めば何とかなるというところがあります。

なぜなら、**本の趣旨は、目次に全部書いてあるからです。**（当たり前）

目次を読むと論旨と結論が分かります。（当たり前）

むしろ、本を読み始める前に目次によく目を通しておくことが肝心です。

勝負って、実は始まったときにはもう決着がついていることが多いのですが、本を読む場合もこれは同じです。目次を読まずに本編を読み進めようとした時点で既に「積み」という敗北は始まりつつあるのかもしれません。

情報を上手に受け取るコツは、重要度に自分なりの濃淡を付けるという点に尽きます。良いレストランのコースメニューの中には、記憶に残らない地味な箸休めみたいな品があったりしますが、これは後のメインの印象を強めるために敢えて弱い情報を与えているのでしょう。映画やレストランのコースメニューではこういった情報の濃淡のコントラストを向こうで付けた上で提供してくれるので受け取る側も処理しやすいのですが、実は本の場合そのあたりの味付けを最終読者に委ねている部分があります。この味付けが本ならではの醍醐味かつ、ある部分での取っ付きづらさと言えるのかもしれません。

読みながら勝手に濃淡を付けてもいいのですが、慣れていないと平坦な情報が淡々と続く荒野の風景を一人から風に吹かれながら歩き続けるような読書になってしまうかもしれません。読みたいのに積んでしまう人の「入って行けなさ」って、こういった風景の乏しさに起因しているると思うのです。これは、目次を熟読することで完全回避可能です。

目次を熟読するときは、絶対に食べたかった名店のコースメニューを見るときと全く同じノリでやってください。読みたいと思って手に取った以上、「オッ、これは」という部分が必ずあるはずです。また「これは食べんでいいかな?」という箇所もあるかもしれません。食べなくてOKです。しばらく見ていると、目次にならぶメニューに対する自分なりのご馳走レベルが判然としてくるはずです。そうすると、本は燦然《さんぜん》とし始めます。さっきまで荒野のようだった淡々とした文字の羅列が、函館の夜景のように光っているところと真っ暗なところがはっきりと分かれて見えてくるのです。こうなったらもう勝ちは得たも同然。

しかも、本文は詳しい内容に分け入って切り込んでいく文章なので受け取る心に余裕がありませんが、目次は内容を上から俯瞰《ふかん》して説明してくれている文章なので、心に余裕を持った状態でしげしげと眺めることができます。かなり気が楽です。

このように目次を丹念に読み回したら、もう十分に読書を楽しんでいると言えます。映画鑑賞が、パッケージの裏面の説明文を読んでワクワクしているときから始まっているのと同じです。観れば終わる映画と違って、読書はある程度自力というところがありますので最初の一行を踏み出す前は、途方もなく感じられるかもしれませんがご安心ください！

そもそも最初のページから読まなくていい

当然、最初から読みたければ最初から読めばいいのですが、「必ずそうすべき」と考えているとむやみに読書のハードルが上がってしまい、読む前からダルくなってお手上げということにもなりかねません。私は映画に対してよくそうなっていました。

全然大丈夫です。好き勝手に読んで構いません。目次を丹念に舐め回すように見て、まずは読みたい気持ちを高めて、その高まりを殺さずに、最も読みたい「いいなあ」と感じた章を大胆に開いてください。

映画でもありますよね。私は『セブンス・コンチネント』という映画が大好きなのですが、この映画の冒頭は何度観たか分かりません。全てが限界になって激鬱《げきうつ》の頂点に達した一家が、車に乗ったまま揃って洗車マシーンに吸い込まれて、全員が生存というままならなさ全ての臨界点に達したまま非常に丁寧に（機械による）洗車が施されるシーンです。もうここだけでも「何もかも、全部が分かってしまうな」という気持ちになれますので繰り返し何回も観ております。

映画はとりあえず一回観ないことにはどんなシーンがあるのか分かりませんが、

本の場合、目次に全て書いてあります。

本の目次をよく見ると、多くの場合「第二章」くらいに本のメインテーマとなる趣旨が書かれていることが多いと思います。その辺りが重要だなと思ったらそこだけ読めばOK。そうすると、関連づけて読みたくなったりそうはならなかったりします。なったらなったでどんどん地面を掘り進むように読み進めていけばいいし、大体納得したら終わりでOK。主要な論旨が書いてある部分は概ね読み終わっているので、胸を張って「既読」と言って構わないでしょう。一行読んだら十分読んでいます。積んでません。本1冊の中に、自分にとってすごく重要な一行を見つけたのなら、それは代えがたい貴重な読書体験だからです。もっと極端なことを言ってしまえば

持ってるだけでOK

何なら手に取った段階で
読書は始まっているようなもの

極端な話、本はそこにあるだけで場に影響を及ぼしているところがあります。図書館独特の、大量の書籍が無数の情報を発することで、空間の静かさが強調されて、まるで「シーン」というオノマトペが大々的に空間に浮かんでいるような感じ。そう考えると、枕元に本を置いてそれ自体のムードを浴びてるだけで十分読んだと言えるかもしれません。だって、出版・印刷行為ってヤバイから。思念を形にして広く人々へ公布する目的で物質がこの世に現れているので、もう実態は意思ですよ。紙ではなくて。紙の本、デジタルの本と言いますが、意思の本、利便の本と言ったほうがそのものの性質に近いのではないかと思います。意思の本と考えると、それを「買う」行為も実はかなりヤバイですよね。

例えば岡本太郎の名著

『自分の中に毒を持て』

なんかは、もう、そのタイトルの本が物質として存在しているとこを確認するだけで明らかに影響が発生しているので、その体験を発生させた媒体として読書は成立しているんじゃないかと思います。

タイトルだけでもう最高シリーズの本は結構あります。

『村に火をつけ、白痴になれ　伊藤野枝伝』　栗原康

『命あれば』　瀬戸内寂聴

など。

読んでなくても、この本が出版印刷流通しているという事実が影響を及ぼしている。勿論、読んでもいいけど。こういう本を書いた人がいて、編集した人がいて、わざわざ出版したなんてすごくいいなあ。刷るってヤバイ。そういうヤバさをいいなあと思って持っておくだけでも、それはそれで素敵なことなんじゃないかなあと思うのです。

「障がい者」という表記は使わなくてもいい

「障がい者」という表記って、わざわざ使わなくてもいいんじゃないかと思います。「害」が「がい」になったところで、配慮どころか「一応やってる感」、「免罪符買ったけど戸棚のどこにしまってあったっけ感」みたいなものを感じてしまうからです。

　このようにやらないほうがマシかなと感じるやりすぎの気遣いって、しばしば見かけます。ファッション誌の記事で胸が小さい人のことを「控えめバストさん」と呼んでいるのを見かけたことがあるのですが、同じノリで低所得者のことを「控えめ収入さん」と呼んでいたら感じが悪いんじゃないでしょうか。バストならＯＫ！　というのもかなり変な話ですが。「障がい者」もわざわざ「害」をひらがなに置き換えてしまったせいで、「害を抱えている事実を隠さなきゃ(＞＜)」という発想が薄《う》っすらバレているような気がします。しかし、本当に害を抱えているのは人間の側なのでしょうか。

●そもそも「障害者」とは

障害者＝**特別な配慮を**
必要とする
普通じゃない人

というイメージを持っている人もいると思います。しかし、実際にはこの世には「障害者」と「健常者」の2パターンの人間がいて、その境目にははっきりとした特別な境界線がある、というようなことはありません。

厚生労働省のHPに業務上の傷病などで身体に障害が残った場合の障害等級表が紹介されています。

等級表には

> 第一四級
> 三歯以上に対し歯科補てつ＊を加えたもの
> 第 九 級
> 両眼の視力が〇・六以下になつたもの
>
> ＊歯科補てつ 欠損した歯に被せ物などの人工物を利用し補うこと。いわゆる虫歯治療の被せ物

とあります。

歯の虫歯治療が3本未満で、なおかつ**視力が0・6未満**であり、その他の条件にも一つも当てはまらない人っていうのは、実際かなり少数派だと思います。この表は職務上の事故等で生じた障害の基準を明確化するためのものですから国が定める身体障害者の定義とは別のものですが、より正確には多くの人が既に「労災における障害等級の基準内」である可能性が高いということです。

だったらなんだよという話に感じるかもしれませんが、障害というものはかなり身近で、そこら中にありふれていて、一般的に「健常」と考えられている状態との境界線はさほどなく、割と誰でも当てはまる、当てはまらない人でもいつでもそうなる可能性はあるということです。

そもそも「健常者」っていう言葉も「今現在目に見えて困ってる感じではないからオッケーです」くらいの意

味しかありません。むしろ、障害という困難自体が「健常」という幻想が共有された結果生じている側面があります。なぜなら、

「障害」とは個人ではなく、
社会が抱えている問題だから

例えば**「視力」**の問題。

身体障害者手帳の基準に照らし合わせても
視力の良い方の眼の視力が0・2かつ他方の眼の視力が0・02以下
であれば5級に相当します。

私自身は視力が幼少期から1・5以上なので実際どれくらいの困難を伴うのか想像するのが難しいのですが、友達にも基準に該当するくらい視力が悪い人って全然います。普通にいるし、もっと悪い人もいます。しかし、日常生活において深刻な困難に直面しているという印象は特にありません。温泉入るときメガネだと曇るし景色見えなくて不便とかそういう細かい不便話は色々聞くけど。

　これは、**視力が低い人がすごく多いので視力が低い人に向けたサービスや制度や仕組みや理解が整っているから**です。

　メガネをかけている人がクラスに1人か2人しかいなくてあだ名はダイレクトに「メガネ」とかいう時代であれば、ろくなメガネストアーがなく、重くて精度が低く、乱視などの対応もな

く、その割に値段は高く、就職の際も差別があり……など、かなりの苦労をするハメになると思うのですが、視力が低い人が格段に増えて視力補助具がビジネスとしても扱いやすくなりサービスが拡大した結果、「低視力＝障害」という印象はなくなりました。

障害について、「障害を抱える方」という表記を見かけるのですが、実際に障害を抱えているのは「社会」という

誰にとっても平坦であることが困難なシステムの総体

であって、本人は本人にとって平坦ではない地平に苦労をしているだけ。

極端な発想ですが、例えば生まれた直後に両足代わりに車輪を装着するのがメジャーな社会では、全ての道路が線路のようになっていて車輪の人はかなり便利な反面、何か事情があって足の代わりに車輪が装着できないという人は障害者となります。

「徒歩の方にご配慮ください」

という貼り紙がいろんなところに貼ってあり、徒歩の方には徒歩の方用の専用バリアフリー通路というものが設けられ、徒歩の方の通路には、なんだかよく分からないハートマークに手や足が生えて地球っぽいなにかを抱きしめているロゴが描いてあったりします。小学校で「徒歩でもいい」というキャッチコピーのポスターを描いて賞がもらえたりもします。

これでさらに

「障がい者の方へ」

っていう表記を見かけたら、どうでしょうか。

いや もう そこは どっちでもいいわ!!!!!!!

となりませんでしょうか。

この辺りの感性はかなり人によるところもあると思いますが、私はかなり、どっちでもいいな――――と思います。そこじゃないんだよなーという、歯がゆさ。気遣いが別に当事者には向けられていない、いわゆる「健常者」という枠組みのために用いられるというマッチポンプ感。

むしろ、何かデフォルトのような身体や精神が存在していて、デフォルトではない身体や精神の人間はそれ自体が「障害」なのだが、「害」と表記するのは露骨なのでやめておこうという発想がうっすら伝わってきてしまう。なぜありもしない身体・精神のデフォルト感覚をそこまで強固に持てるのか不思議議です。

ただ、デフォルトじゃない感じの人にも優しくしてあげようという発想はまあ「最悪」ではないのでご自由にどうぞという感想。

本来は「障害を取り除く」という言葉の目的語が当然に社会(システム、制度、認識など)に向かうようになったほうがいいと思うのでこの記事を書いてみました。

あなたはどう思いますか?

(答えはないよ)

自分のことを矢沢永吉だと思い込んでいる人々

矢沢永吉の周囲には最高の話が事欠かない。
私が好きなエピソードは中島らもの小説、冒頭で紹介された

「珍しくＮＨＫの番組でインタビューに答えていた矢沢永吉が、ジュースを飲もうとしては喋り出しまた飲もうとしては喋り出し、結局１時間ジュースを一口も飲まなかった」

という描写。
このエピソードがすごいのは、

人生のスピード感が世間とかみ合わず、速くしてもかみ合わず、遅くしてもかみ合わず、結果としてやむを得ず精神科を何軒も回ってかき集めたやり過ごし用の向精神薬を仲間たちと分類・仕分けをしている人物

が語り手となって描写されているという構造にある。

かける言葉がない。

痛烈な客観性はどのようなセンサーの鈍感さよりも結果的に狂気を帯びていくといういい例。

それで言ったら矢沢永吉のファンの方々は健全すぎるくらいに健全で、どうしたってそもそもの「スピード感」というもののズレを気にするタイミングすらそもそも一生ないという印象がある。

イベント会社に勤務していた友人が、矢沢永吉のコンサートを担当したときの話が印象的で

矢沢永吉のファンの方は、基本的に矢沢永吉本人が目の前に現れるまでは自分が矢沢永吉だと思っているフシがある。

だから矢沢永吉本人が入場する直前まで、会場（特に最前列付近）には基本「矢沢永吉」しか存在しないのである。

スタッフが最前列の整列をしようとすると、最前の、つまりは最も矢沢永吉的な感じの人たちが一様に

「俺はいいけど、矢沢はどうかな？」

という感じ、感じの難色を示す。

> 「一・人間として公共の利益に即するのは望むべきところだが、それをやってしまっては矢沢永吉としての周囲の期待を裏切ってしまう」

という言である。

しかし、目の前に矢沢永吉が現れた瞬間に彼らはハッと気がつくのだ。

自分が矢沢永吉ではないということに。

そして矢沢永吉が目の前からいなくなった瞬間に、また彼らの心中に一つの疑惑の芽が発露する。

曰く、

「ひょっとして、オレが矢沢永吉なのでは……？」

（違うとは思うが、実存としての本人がいない以上完全否定できない）

自分は生まれつき体質的に、どんな瞬間でも常になぜか客観性というか、実際それ自体はそんなに客観的な意見ではないのですが、何かしら自分がやっていること、周囲の置かれている状況を上から見たドラクエの画面みたいに捉えてしまう視点が、気絶するくらい疲労しても、実際に気絶して救急車で移送されている瞬間でも消えることがないから、それがすごく健全で健康的なことのように感じられる。

すごく必要な能力なんだと思う。

「冷静に考えろ！　そうじゃないだろ！」

って言うのは簡単だしシンプルだし一見正論ではあるかもしれないがとことんズレている。

なぜならこの性質は生まれ持った基本能力値にかなりのアドバンテージを付随し得る生存スキルとして機能しているからだ。

私はこの特性を仮に〝**矢沢共感性仮説**〟と名付けた。

矢沢共感性は恐らく、人間が社会性という機能を武器にして繁栄していく過程で特性として織り込まれ活用されている。

人類が原初的な集落のまとまりを拡大、集約していく過程で宗教というシステムが大いに役に立っているけど、

これも**矢沢共感性**である。

なぜなら、キリスト教を信仰している人は

「うっすら自分がキリストのような気がしている」

というフシが感じられるからで、

しかもキリスト教のすごいところは矢沢のコンサートと違って

実際にキリストが目の前に現れることがない

教えをただ守るのは難しいけど、自分がキリストかもしれなかったら……どうだろう。

「俺はいいけど、イエスはどうかな……?」

言わば生まれ持った限界よりも協調性、社会適応性の伸び代をかなり大幅に拡張できる追加ディスクのようなものだ。

こんなにすごい能力拡張システムに

「事実ではない」

とかいう、それこそ主観的な理由で横槍を入れるほうがいっそどうかしている。

そもそも**矢沢共感性**における「矢沢」自体、実体としての矢沢ではなく態度・在り方としての矢沢であるということは明白であって、実体としての矢沢本人も**矢沢共感性**能力を発動しているからこそ表現できる要素がある。

尺度が違いすぎるが、私自身もこういった現象に立ち会う瞬間があり、立ち会うというのは現象として巻き込まれるという意味であって、自分が「水野しず」だと思っている状態の他人に出くわす瞬間が稀にある。

「違うのでは……?」

と一瞬思う。

けど、徐々にそんなことはないよな、この人がそうなんだからそうなんだよ

という気持ちのほうが大きくなる。

これも私自身に**矢沢共感性**が欠損しているから起こる現象である。

つまり、そもそも入り口が分からないから出口なんてもっと分からないのだ。

じゃあこの人が水野しずということだからそうなんだと受け止めておこう。

そうすると、今ここにいる自分は、一体何なのだろう。

何なんだこれは

というかなり意味が分からない現象が発生する。

こんな自分も、ＹＡＺＡＷＡのコンサートに行けば何かが変わるのかもしれないと、一縷《いちる》の望みを矢沢に託して生きているところがある。矢沢永吉さん本人はこのような希望を託されているとはまさか夢にも思わないだろう。

矢沢永吉はすごい。

痩せなくていい

ダイエットについて質問されることが割と多いのですが、筆者はその方面の専門家ではないので回答しません。しかし一方で何か特定の価値観への異様な盲信に抵抗感を覚えることがあります。

「ダイエット」という価値観が当然のもののように広く受け入れられている現状への疑問

それは生息環境における経済圏の要請によって配置された身体性が、あまりに人間の生存範囲内で立ち上がる身体感覚と切り離された工業生産品であり、非の打ち所のない機械に生まれなかった代償に、大いなる負債や努力の義務を引き受けることが当然のように受け止められている現状に対して、いかに我々の盲信が終わることのない無限の消費や欲望の回路を肥大化しながら無限に走り続けるスパルタの狂選手であるかということについて、多少なりとも自分の見解からくる注釈を入れる義務感が生じたからです。

目次

(1) なぜダイエットをするのか

………以下「ダイエット」という言葉を一般的に使われる「減量を目的とした一連の行為（それが有効であるかは考慮しない）」という意味合いで用います

そもそもダイエットをするときに、「なぜダイエットをするのか」について考える人はどれくらいいるのでしょうか。

特に標準体重（ＢＭＩ18.5以上25未満）の範囲内かそれ以下にもかかわらず、さらなる減量を目指して行われるダイエットは、本人も深く考えずに「痩せたほうがいい」という思い込みに沿って行われるケースをよく見ます。しかしながら、「外見を良くする為に体重をとにかく減らす」という方針はそもそも矛盾しているような気がします。

どうなりたいのか。具体的な目標を考えず闇雲に体重を減らしたところで、全身の筋肉量は低下し、常に前傾姿勢になります。洋服のラインは崩れ、肩は開かず首筋のやつれが強調されます。骨ばっているのに下腹部は内臓を支える筋力を失い、常に下垂し餓鬼のような体型になります。全身の皮膚にくすみが現れ、爪や毛髪はパサつきます。代謝が極端に低下し、目が無気力になります。これでもまだ痩せようとする人もいるので、ちょっとおかしいんじゃないかと思うのです。この場合外見は良くなっていない！

見た目の向上が目的ではなく「体重減らし」というゲームを楽しんでいるのだから構わないということに主眼を置き換えたとしても、結果として「体重依存・摂食障害」という最悪の結果を迎える可能性があります。

摂食障害はダイエットの一般的なイメージからややカジュアルに捉えられることもありますが、国指定難病だったこともあり致死率も決して低いとは言えず社会復帰は困難を伴う上に難治性でありその実態は全くもってカジュアルではありません。一度なってしまったら生涯にわたって影響を与えることも少なくなく、社会復帰にも困難を伴うのです。

身体に栄養が行き届かなくなると、肉体のみならず精神にも時に不可逆的な影響を与えることがあります。1944年から1945年にかけて、アメリカのミネソタ大学で行われた「ミネソタ飢餓実験」（恐ろしい響きです）ではほとんどの被験者が重度のうつや精神的苦痛を経験したそうです。興味深いことに、復帰後食べ物への異常なこだわりから調理師に転職した被験者が複数いたそうです。

過激な減量行為は精神的には毒を直飲みしているようなものです。少なくとも無計画にやらないほうがいいのは確実です。

そもそも、スタイルを良く見せるというか、自分の全体の印象を良く見せるという目的に対してダイエット（減量）の優先度は低いと筆者は考えています。

初対面の人に、身体やそれに伴う人間全体の印象を良く見せるという目的に対応した優先順位は

①　**姿勢の改善**

②　**骨格に合ったスタイリング**

③　**必要であれば全身のバランスに合わせて筋力をつける**

と考えます。

上記をやった上で、さらに具体的に調整したいイメージがあれば、そこで初めて

④　**適正な減量（または増量）**

を検討してもいいと思うのですが、全体の方向性も考えないままにとりあえずダイエットから始めるというのは、作る料理を決めていないのにとりあえず鍋に味噌を放り込むくらい闇雲な行為（名古屋だったら普通）に感じます。

筆者は専門家ではあ

りませんが、少なくとも言えることは

「痩せれば良くなる」

という事実は絶対的なものとしては存在しません。

「痩せれば良くなる」

という事実は相対的にしか存在しないのです。

身体全体のバランスやファッションの好みによって目指す身体全体の方向性はバラバラであると思うので、闇雲なダイエットの前に一回全身が映る鏡の前に立って自分の骨格と姿勢を確認したほうが良いでしょう。

(2)「苦労」をやりにいく前に

以前仕事でお世話になった方が

「もっと痩せて足を出さなきゃ……足が太いし、いつも隠しちゃって」

というようなことを何度か言うので

「あなたは足を出したいのですか？」

と尋ねてみたことがあります。

すると、実際「自分から積極的に足を出したい」という考えはないとのことでした。ただ、何となくそうしなければならないような責務感に追われているとのこと。

そもそも彼女は太っていたのでしょうか？ そんなことはない。

多くの人、特に女性は上半身か下半身のどちらかが比較的太く、もう片方は相対的に細いことが多いです。また全身の骨格のバランスによって、同程度の肉付きでも太く見える部分と細く見える部分があります。

彼女は下半身のほうがより肉付きがよい体型ですが、一方上半身は細くスラッとした印象でした。特に肩周りや鎖骨は骨格がかなりスッキリした印象でした。

であれば、単純に姿勢を良くして上半

身がタイトで下半身はルーズなスタイリングにすれば良いのではと提案しました。スタイリングを考えるときには、上半身か下半身のどちらかをルーズにしてもう片方をタイトにするとバランスが取りやすいので、シンプルにより良いと感じるほうを見せればいいと思うのです。

　仮に今の状態から闇雲に減量しても、上半身は今よりもっと痩せてしまうのでむしろ全体のバランスが取りにくくなるかもしれません。

　盲目的に「痩せ」を目指すとき、身体の認識に連続性が失われていることが多いように感じます。社会的な強迫観念（全てのパーツが加工された状態でいなければ

ならない）から認知に歪みが生じてどこかパーツの一部分だけが極端に肥大しているような……。

　仮にパーフェクトなパーツをゲットしても、それが装着されるのは自らの身体だということを忘れてはいけません。「どう見せたいのか、何をしたいのか」という目的をまず設定したほうがいい結果に繋がります。

　しつこくて申し訳ないのですが、

　「痩せれば良くなる」

　という考えは常に事実ではあり得ません。それは骨格や体質による。

場合によっては「過度の痩せ・不健康に対する賛美や憧れ」があり、それを目指したいという人もいるかもしれませんが、あなたがイメージするロールモデルとあなたは同じにはなりません。骨格が違うから。

　であれば、あなたはあなたの骨格や体質、あなた自身が持つムードが得意とするやり方でオリジナルの不健康、もしくは悪辣な美を表現したほうが楽しいと思います。

　あり得ないくらい有象無象のコンプレックスに360度完全包囲されていたとしても、せっかく選べない身体の牢獄に囚われているのだから、そこであげる悲鳴くらいはせめてオーダーメイドでいきたいと思いませんか？

(3) 生まれた瞬間チート状態

　上記目標を設定した上で「減量をする」という考え方になった場合、

　頑張らなくて大丈夫です。

　むしろ頑張らないほうが効果的かもしれません。

　なぜなら「減量」方面について我々（日本国内の話をしています）は生まれた瞬間すごいチート状態だからです。主に食生活が。

　そもそも米っていう主食がダイエットの天敵のように考えられることが多いですが、

　そんなことはない。

調理に油分を使わず、水分を多く含み、食物繊維も摂取できます。

玄米にすれば血糖値の上昇も緩やかですし、ミネラルやビタミン、さらに多くの食物繊維や穀物由来のタンパク質も得られます。

相当便利。

どちらかというと、ご飯と組み合わせるおかずの調味料に砂糖や油分を使いすぎている、結果主食も摂りすぎになるが、カロリー過多の原因になっているのではないでしょうか。

おかずもすごい。信じられない。

大豆を発酵させた食品(納豆)を日常的に食べたり、こんにゃくと、がんもどきなどの摩訶不思議ストイック精進料理が一般家庭で常食されていたり。オーパーツを駆使しまくっているような食生活です。味噌汁も味付けは「だし」がメインで脂質をあまり含んでいませんし、何なの？ 健康がＤＮＡに刻まれているのか。

和定食で魚をメイン、副菜や汁物も付け加えてご飯を適度な量にして塩分の取りすぎさえ気をつけたらほぼ完璧じゃないですか。

全然頑張らなくていい。

そんな食生活大変じゃない？ と思うかもしれないけどコンビニでカップ味噌汁か何かとおにぎり1〜2個と魚の惣菜とタンパク質と野菜がとれる副菜を買ってきたらそれで終わりです。これを好みに合わせて一日3食くらい食べて他の間食とかをせず、体重の推移に合わせて調整加えたら終わり。

すごい簡単じゃない？

欧米における「脂質&炭水化物vs筋トレの全面戦争が勃発する劇的ダイエットの苦しみ」的なるイメージを輸入せず、謎すぎる地の利を生かして元々ある食生活で地味にうまいことお好みの体重になったらいいと思います。

(4) 答え言います「シンプル」

しかし減量やダイエットに取り憑かれて苦しむ人の気持ちも分からないことはなく、共感する部分もあります。苦しみの原点は

「食事内容、生活スタイルと体型の変化の関連性が不透明・コントロールできない」

コレだと思います。

仮に「とにかく痩せなければならない」という強迫観念がなかったとしても、自分の身体の変化がブラックボックスであるということはかなりのストレスです。

筆者は上記の苦しみが嫌だったので対策、攻略しました。

やり方は実にシンプルで、1年間食事の内容、栄養素、カロリー、運動量を全て記録したのです。(食事記録アプリ、つねに装着するタイプの運動量計を使用)

結果、体重はカロリーの余剰や不足(7200キロカロリーで1キログラム)とほぼ相関し、

また普段の食事内容にどの程度のカロリーが含まれているかということもほぼ把握しました。

結果として不透明でアンコントローラブルでいびつな身体性は消え去り、予測可能で対話できる自分にとって確かな身体が出現しました。

上記の自己研究の結果分かったのですが、

食事内容と体型の変化の関係を不透明にしているのは

主に「お菓子や加工食品」

でした。

特に加工食品は加工の工程が多ければ多いほど熱量が謎（食べた感じと摂取したカロリーの量が感覚的に符合しない）になっていくので、

何もしてないのに太る、何もしてないのに痩せる、それが社会的な評価に接続されているなんて不条理で苦しい。辛い。

という感じの方は、とりあえずしばらく加工の工程が少ない食品をメインに食べるようにしてみてください。刺身とか。そうすると食べた感じと体型の変化が等しくなってくると思うので、身体性がブラックボックスの中でアンコントローラブルに流動している（状態を身勝手な他者から評価されかねないプレッシャーの）苦しみからは逃れられるはずです。

自分は把握によってコントローラブルな感覚を得られたので、もうお菓子とか加工食品とかも全然食べてます。

シンプルに、要するにあまり複雑なことをしなければ大丈夫です。

という話でした。

みなさんが最大限オリジナルの命楽しめるといいなと思っています。

『ノンアダルトの法則』

みなさんは
『ノンアダルトの法則』

という言葉を耳にしたことがありますでしょうか？

ないと思います。なぜなら私がさっき作った言葉だからです。

さっきというのは嘘で、本当は数年前に作りました。

新宿駅前を歩いていたときのことです。

夕方5時頃でしょうか。コートを着る寸前の時期の夕方は突然寒くなるので、最前列の信号待ちをする背中にかなりの圧を感じます。


歩行者信号が青になった途端、吐き出すように人波が動き出し、やや窮屈なスニーカーと買いすぎた本と冷え込みと急《せ》いたバラバラの歩調と踏まれすぎたガムと既に渾然一体となった不快。この最悪を一つ一つやりくりする気力が既にないので、全ての情緒を無かったことにして無心で前に進む私は、ソヴィエト社会主義共和国連邦の配給の行列に並んでいる自分を思い浮かべました。が、隣接する風景は「バニラ高収入」であって、これは資本主義と共産主義のデメリットが擬似的にダブルで発生してしまっている無念な状況。一刻も早く帰りたい。おそらく、周囲の人間も全く同じ心境でしょう。私はそう信じましたが横断歩道の最中背後に気配を感じ、チラリと横目で見ると、サイズが全然合ってないネルシャツを着た、だまし絵のような不審なヘアースタイルの男性が、強引に距離を詰めてきたのです。

人間がかなりの密度で隣接していたとしても、やはり不自然な挙動で近接する人間の圧はすぐに分かってしまうものです。むしろ、異様なまでに目立つ。

私の真後ろまでたどり着くとだまし絵のような髪型の男性は

「モデルやらない？」

と申してきました。やるはずがありません。

そもそも、現段階でやるかどうかという交渉の段取りが発生していませんし、今私がかろうじて思考しているのはいかにエネルギーの消費を1でも抑えるかというまさにコルホーズ的なそれオンリーとなっていたのでした。

「対応」と「逃げ」のエネルギー消費を天秤にかけ、やや歩みを速め切り抜けようとしましたが、男性の新宿駅前に慣れ親しんだ感じがよっぽどであり、液状体であるかのように、人ごみをものともせず隣接をしてきます。

奴はしめたと矢継ぎ早に、ここぞとばかりに

「モデルモデル！　やらない？　やらない？　条件いい。条件いい」

はっきり言って、私はかなり言われたことを真に受ける性格ですが、この場合嘘がすぎます。「条件いい」とか、よかったら絶対にこうはなってないだろう。あまりのあり得なさに面白くなってしまいましたが、深刻な危険性は感じないので無視をしていたところ、彼は諦めずに背後から

「ノンアダルト!!!! ノンアダルト!!!」

と、結局改札付近まで付いてきたのです。「ノンアダルト」を連呼しながら。

私は確信しました。

絶対にアダルトコンテンツの撮影だ

と。

そもそも成人向けコンテンツに携わっていない業界であれば

「ノンアダルト」

という発想は生じないからです。自らアダルトの前提をバラしている。あまりに分かり易すぎる。

例えに出すのも誠に申し訳ないのですが、例えばマガジンハウス『GINZA』編集部が春先の蛍光カラーをアクセントに取り入れたコーディネート特集の撮影に際して

「こちら、ノンアダルトの撮影です」

などと言う訳がなさすぎる。「無料案内所」と看板を掲げている店に、金を取る魂胆がありすぎているのと同じです。

ここで主張される「ノンアダルト」とは、今後のアダルト展開を強く示唆しつつも、現状においてひとまず、最大限の譲歩として

「ノンアダルト」

であるという具体的な条件すら明示されない暗雲立ち込める現状を克明に指し示しているものであります。

上記の出来事から一つ言えることは

誰も質問をしていないにもかかわらず、ことさらにアピールされている情報がある場合、それは真逆の現状を指し示している

というあまりにも現実に即した知った瞬間に役立つ即席ライフハックなのでありました。

『ノンアダルトの法則』とはつまり、

絶対にそんな訳がない状況で、絶対にあり得ないピーアールが、絶対的な反語表現として執拗に、絶対的に繰り返されているというシチュエーションの法則

を端的に表した言葉なのです。

みなさんも、身に覚えがありはしないでしょうか。

謎のタイミングで主張される「そういったつもりはない」「あくまで正当な理由に基づくものである」という、唐突なピーアール活動を……それらは、おそらく全て上記『ノンアダルトの法則』に符合するものであります。

ツイッターでお役立ち情報ばかり拡散されすぎている。

そんなに役に立たなくていいよ、と思うし、役に立つ情報っていうものはどちらかというと役に立つ情報を得るまでの過程で体得された経験値がものを言うのであって、結論だけ急に頭頂部から注ぎ込んだところでたいして役に立つようなことはないんじゃないか。仮にお役立ちになって生産効率が上昇し可処分時間が増加したとしても、増加した可処分時間はお役立ち情報の検索に費やされ新たなお役立ち情報が発見される頃には当初のお役立ちの効果が終了しているので結果同じところを周回しているだけで効率が良くならなさそうな徒労感がある。

何事に関してもそうだけど、すぐ役に立つものはすぐに役に立たなくなるから長期的に考えるとあんまり効率が良くない。もちろんお得でもない。「裏ワザ」という流行語を生み出したお役立ち情報バラエティーの元祖のようなテレビ番組『伊東家の食卓』を思い出して欲しい。裏ワザを執行した時間よりも番組を視聴している時間が長かった人が大半だと思う。本末転倒……でもなくて、この場合は役に立つ情報を手に入れた爽快感や嬉しさを娯楽として上手くまとめてあったし週に1回、1時間程度娯楽として消化するのは全く問題ないんだけども。

日頃からお役立ちばかりにしか目がいかなくなる癖がついてしまうと結局何にもならないどころか人生の時間が芋蔓式に搦《から》め捕られていって結構看過できない量の「損」が生じる。

ところで、私はここまでの文章で「得」とか「損」とか自由勝手に好き放題の文脈で使っているし、それで当たり前のような語り口ですけれども。これってわりかし卑怯な手口だ。なぜなら「損・得」の自分なりの意味内容を定義してないにもかかわらず無責任な説得力や権力が発生してしまっているから。損をしてはいけないという資本主義的刷り込みを勝手に利用して他人を洗脳している、とまで言ったらかなりの過言ですけど。ややズルいことが平気でできてしまう言説ではある。

私は割と「損」とか「得」とかを文章の中で意味づけするのが好きなんだけど、逆説的なメッセージとしてしか使用しておりません。例えばこういった感じで

●じゃんけんは負けは負けなのに勝っても実力ではないからやるだけ損

損得の意味内容はどうだってよくって「損」を逆説的に批評することで意図・立脚点としての志（のようなもの）を伝達しようと試みています。このような伝達スタイルを「損のＤＪ」と呼んでいるのです。

なんでこうするのかというと、ちょっとでもボンヤリしていると得をしなきゃいけない、損してはいけないという社会通念がジワジワおでんの汁のように身体に染み渡り、染み渡りがまた社会全体に浸透、無批判に全肯定されているがためにあっという間に自分が考えたわけでもない損得の行動規範に人生がコントロールされる羽目になるからです。そんなに得（とされるやつ）がやりたかったか？　あなたは。もっとゴツゴツでグニャグニャで面倒でキュートで厄介でかわいい人間だったであろう。脱線しないと得しすぎて死ぬ

ぞ。脱線していないと、光のような速さで時間が全てを追い越して気がついたら無意識の淵で最後の念慮をふと手放す瞬間に「何か」に気がつく羽目になる。「何か」とは？

それはね、「何か」です。

だからケッコー面倒なんだけどこれに我々は常に抵抗してなければならない。オリジナル損の定義づけをし続けないと正気を保てないシステムに取り囲まれて生活をしている。それはわりと家畜の小屋に近い。それが便利な面もかなりありますけど。

もう少しボンヤリさせて欲しいね。ほんと。

〈実力〉＝「自分のせい」でやる力

「需要ありますか？」

という質問が、SNS上では半ば定型句と化している。

「私のメイク配信って需要ありますか？」

「サブチャンネルでバイクの話しようと思ってるのですが、需要ありますか？」

定型句だから応えるフォロワーも、「はい需要がここにあります」などとは言わず、黙っていいねボタンを押している。このようなフローを経て需要があると判断された場合には、需要に伴った規模の供給としてなにかしらの行為が行われる。供給をする側よりも、需要を発生させている側が川上にいるような錯誤を催す風潮の力学は、どのSNS上でもある程度蔓延している。特に与えられたシステムに沿って人生の大枠を構築することになんら疑問がなく、ありがたくバズりを享受している人からは、私はこのような意見を投げかけられる。

「YouTuberやればいいのに。絶対人気出ますよ」

フルマラソンやればいいのにとは言われないのに、どうしてYouTuberは頻繁にやるよう促されるのか。42・195キロを完走するように他人に勧められる謂《いわ》れはないだろうと予測できる人々が、毎日動画を撮影し編集しアップロードするような日々に身を窶《やつ》すことを他人に斡旋《あっせん》するのはなぜか。「やってほしい」なら分かるけど、「やればいいのに」とはどういう発想なのか。いいかどうかを、誰がどこで、どう決めると思っているのだろうか。

この奇妙な齟齬《そご》が発生する原因は、冒頭で述べたようにＳＮＳ上でのふるまい、行動原理が徹頭徹尾「需要」に付き従いコントロールされているように「見えてしまう」構造が横たわっているからだ。しかし、そうではない。「実力者」は別のところに行動原理がある。ここで言う「実力」とは、私が日頃から用いている独自定義の「実力」であって端的に言えば

「それをやっている本人の中に、動機がある」

状態を「実力」としている。したがって、世間一般的に需要があるかどうかではなく自分の内心に物事を行ったり金銭を支払ったりする動機を見出せる人物のことを私は「実力者」と呼んでいる。

「実力」があるという人は自分の心の中に需要を作ることができるので、最大公約数的なスタイルで要求に呼応するように発信をするということを最初からしていないし、最大公約数的な拡散のルートに自らの行為を載せることもしない。だからそもそも需要の川上にいると思っているインターネットユーザーが「実力者」を見かけることはほぼない。そうやって全てが需要によって形作られているように見える世界は拡散されていくように見せかけながら閉塞的に、閉じていく。

これは何もインターネットネイティブの世代だけに必ずしも発生する事態ではなくて、主に主流のメディアがテレビ放送だった世代にもある。そういう人は、あるいはこんなことを言ってくる。

「芸能人なんだから敬語を使わないと好感度下がるぞ」

これも、需要の川上の原理で他者をコントロールできるという勘違いが生じてしまっている一例だろう。今になって見

るとどうだろう、おなじみの芸能人がおなじみの話題を繰り広げているテレビバラエティーの世界は、未だにかなり多くの人に視聴されているとはいえやや時代遅れで閉鎖的なフィールドにも見えるだろう。動機の発信源をやってくれるような人が少ない場は緩やかに停滞しながら閉塞的になっていく。そういった人は近年では大体ＳＮＳ鍵アカウントで面白いことを言っているんじゃないだろうか（と思われる）。これが例えばラジオのハガキ職人だったり、ファンロードのお便りコーナーだったり、『笑っていいとも！』でその日アルタの１階に来た人が出演するコーナーだった時期もあったんだろうなと思う。

自分の心で需要が作れない人が発信者になるとどうなるのか。

本人の中に動機を持っていない人々は路上販売のキッチンカーのように、今ちょうど需要があって求められる広場のようなところで求められるものを販売するということをしている。そうして集まった人々に問いかける。

「需要、ありますかね」

YouTuberをやっているような人はそもそもから行動原理が「需要」であるケースが多いから、そればっかりを見ているのであれば、全ての人類の行動規範は需要の有無によって策定されると勘違いをしていても、おかしくないというか真っ当な類推というか。そう考えるとフルマラソンを走る人はそもそも全員「実力者」であった。需要がなくても自分の中に42・１９５キロを走りきる動機が存在しているのだから。恐らくフルマラソンをやっている人物は誰も「走りの需要ありますかね？」とツイートしたことがないであろう。「需要」つまり、走っている私たちはより高次の人生を歩んでいるという意識を共有し合う磁場に応えるのであれば皇居の周囲を走り回れば事足りるから。

生活の全てが貰い物に彩られている人すらいる。それは大いに経済的合理性に沿っていていいのだけど、私の独自定義に従って述べるならば「実力」を排除された状態と言える。なぜならば、無料でもらった服を着ても、生活の中から搾り取った血肉のような5万で買った同じ服を着ている人には絶対的に解釈の強度において敗北してしまうから。動機がない、根拠がない、必然性がない、意味づけがない、存在意義がない、ただ動的であるだけの代替可能な経済動物として、振る舞いの訓練を積み上げてきたというだけで。しかしながら、いかに経済動物として自分自身をそれらしいフォルムに潔く変形させ適合させたかについての著《いちじる》しさを評価する市場もあって、それもそれで一見それらしく見えるし、最も重要なポイントとしてそれらしく見せかけることができる。問題は、1人の人間が本当は人間である以上、有限であって、変化し続ける需要に対してどこまでも自分を変形させて対応し続けられるとは限らないということだ。労働市場から病気や死や出産の概念がスポイルされているのと同じように、効率的に需要に応え続ける動産物からは人格がオミットされている。特に現代は需要の受け皿が刻一刻と急変し続けるのでかなりの頻度で人格を変形させ続けなければならない。変形した人格を「正しいね」と称賛する行為は、実際かなり残酷な行いであるように見える。私からすると。

「圧」に「圧」で対抗するより、見守ったほうがラッキー

例えばセンター試験（共通テスト）の得点をずっと覚えている人は、人生にそれよりマシなことが一つもないと宣言しているようなものですし、観た映画の本数を正確にカウントしてそればかりをＰＲしている人は、映画の内容は何も観ていないとＰＲしているようなものです。

人生は、得てしてこういったことばかり。

漫画『金田一少年の事件簿』の主人公、金田一一《はじめ》が毎度「ＩＱ１８０、**金田一**」と紹介される度に、これが作り話でよかったという想いが頭をよぎります。実在の人間が実績ではなく「ＩＱ」で紹介されていたら、それは哀しすぎるからです。しかも「ＩＱ」が高ければ高いほどより一層「ＩＱ」の一発屋として扱われてしまっているその場の事実が、切ない。テレビ番組では分かりやすいから重宝するかもしれませんが、さすがにその場では、ちょっと。（私はこういった全般を〝山田勝己現象〟と呼んでいます）

つまり、何が言いたいのかというと人生において、一般的に「マウント」と言われる「何かしらの業績・功績・実力をＰＲすることで、目の前にいる人物よりもわたくしは上位に属しますと念押しし、「圧」を発表する行為」は残念ながら全般的に、現代社会においては失敗

傾向にあるということです。
もっと単純化して考えてみれば一目瞭然ですが、例えば Instagram の投稿に
「＃おしゃれ」
というハッシュタグを用いている人物が、果たしておしゃれに見えるかどうか。
あるいは、
「＃論破」
というハッシュタグを使用している人が実際に論破できそうかどうか。
何かとデンジャラスなので詳しい言及は避けますが、ツイッターの自己紹介欄に書いてある様々な自己PR文言についても、一考の余地があると言えるでしょう。
こういった残念な失敗、例えば人間の平均的な産道の幅が、平均的な胎児の頭部の大きさに適していないから出産時に毎回大変な目にあうだとか、ついつい飢餓状態に備えすぎて糖尿病になるだとかいった、進化の不均衡による失敗例の一つとして
「圧」をかける行為自体があまりよくは思われないのに、（「圧」で群れ社会をやりくりしていた頃の名残で）ついつい「圧」をかけてしまう
という事態があります。
これは、確かに「圧」をかけられた側からすると愉快ではないケースが多いかもしれませんが、そういう場面で咄嗟に
「来週健康診断なのに〜、ついつい食べすぎちゃったんだよね……節制しなきゃなあ」

ということを言ってる人のようだと思い込めば、

「人類って、実は犬くらいかわいいな……」

と、かなり広い心と視野を持つ隙が生じるのです。

この「進化不具合視点」を一歩発展させたところに、

「「圧」かけていきまっしょい！」

があります。

【「圧」かけていきまっしょい！　とは】


モーニング娘。をご存知でしょうか？

（存知すぎている方もいらっしゃると思いますが）

モーニング娘。とは国内の大人数のアイドルグループのことです。彼女らが気合を入れるための掛け声として、コンサート前に円陣を組み、右手を重ね合わせ大きな声で
「がんばっていきまっしょい！」

と発する。そういった儀式があります。

（敷村良子の小説『がんばっていきまっしょい』に由来する掛け声だそうです）

この後がんばっていきたい気持ちが伝わってくるし、こちらまでなんだかいけそう・やれそうな気がしてきて、これはかなりの良儀式だと思うのですが、想像力の翼を２３０度くらい広げていくと、「圧」のほうもこのような感じではないのだろうか。


つまり、学校でもオフィスでも構わないのですが、今まさに、人々の社交や圧力が発生しているこの現場をステージ上と考えると、「圧」のほうは今このオフィス空間というステージ上で「圧」の本番を開催しているということになります。

誰しも本番直前は緊張しますから、気合を入れたくなるはずです。

となると、「圧」のほうはステージ裏（給湯室など）で一人円陣を組み

「圧」かけていきまっしょい！

と気合を入れているかもしれません。

そういった図を克明に想像すると人間存在全般に対するある程度の優しさ、平和な精神が芽生えてきて、余計な負の感情が生じずに済むという算段です。

あなたさえ良ければこの想像力の翼はあらゆる方面に応用が可能です。

例えばしつこく収入や交友関係に探りを入れてくるあまり親しくない親族の方は、玄関先でチャイムを押す直前に

「聞き出していきまっしょい」

と気合を入れている可能性が高いですし、喫茶店でやたら声が大きくてデリカシーが感じられない嫌な雰囲気の集団は入店前に

「声出していきまっしょい」

という円陣を組んでいるに違いありません。許していきまっしょい。

最先端の孤独

「イケメンだよね」

と言われて、果たして言われた側のイケメンは喜んでいるのかどうか。謎である。イケメンは何を考えているのか分からない。何をしたいのか、下手をすると何をすればいいのかすら分からずに戸惑っているように見えることすらある。

「ＩＱ１８０」はどちらかと言えば不名誉な肩書ではないかと思う。確かに非現実的な突出した数値であることには間違いがないのだけど、ＩＱを言われてしまっている時点で不穏な感じ、もっと言ってしまえば持ってるＩＱを活用した成果を言われていない時点で何だかやるせない、止むを得ない雰囲気、切ないムードが漂っているように感じる。イケメンも同様に結果ではなく状態を言い表されている時点で、やはりちょっと切ない。暇を持て余しているような感じがある。休日は何をしているのだろうか、イケメンってやつは。男性タレントなんかはプロのイケメンだからわざわざイケメンですねと言われることもないだろう。だとしたら、ただイケメンということでイケメンということにされてしまった孤独な人々は、一体何を……？

自分がもしもイケメンだったらと想像してみる。

例えば美女のそう言われてしまった遣る瀬なさ、手持ち無沙汰な切なさには長い歴史があり文学がある一方で、イケメンにはまだそういった背景が何にもない。憂い、哀愁、言外の情感を纏うこともままならずに、ただ爽やかでいるくらいしかやることがない。かなり暇である。平坦で、味がしない。この状況を何とか打ち破らなければならない、打破せねばならない。恐らく血眼《ちまなこ》になって何かを突出させる死に物狂いの努力をするんじゃないか。現状を鑑みるに、外見に注目が集まっている以上これを利用しない手はない。最早性的に好ましい領域を大幅に超過する過剰なファッショナブルを身に纏うという手もあるが、もし男性としてサラリーパーソンなどをやっていた場合出世が不可能になるしプライベート面にも差し支えが出るだろう。そうなると限界まで体を鍛えるしかない。筋トレは社会全般から概ね好意的に受け取られるはずだ。反骨のベンチプレス、己の魂を鼓舞するケーブルプレスダウン、祝祭のチェストフライ。3か月もあれば、死に物狂いの自己破壊により劇的に仕上がった動くミケランジェロ像が鏡の向こうで微笑んでいるだろう。今にも破れそうなスーツ。あらん限りのSEXYな肉体を拘束するワイシャツとネクタイ。とてもじゃないが、イケメンなどと言って済む状況でないことは一目瞭然だ。勝利の栄光。弾け飛ぶボタン。マイナスイオンのように、自我を殺して漂っている日々とはおさらばだ。完璧な肉体を得た俺は、会社を退職しアメリカに飛んだ。本場のボディビルを見学するためだ。やはり本場は違う。圧倒的なBODY。讃えられヒーローと賞賛されるストロング。こうなったらノンケミカルにこだわっている場合ではない。どんな手を尽くしてもVICTORYをこの手に摑むのだ。医師の制止を振り切って、あらん限りの薬物を投与した俺は、自由の女神を爆砕させるほどの巨大なパワーを手にした。アメリカは、世界は俺の手にある。次期大統領選に立候補し、順調に当選。名実共に世界の覇者となった俺は、宇宙ステーションを設立し宇宙邸宅を構え、今やロマネ・コンティがなみなみと注がれたワイングラスを片手に地球を見下ろしている。煌々と輝く地球はやはり、青かった。

たった1つの他人への願い
〝他人でいてください〟

夜中にテレビを見ていたら、森三中の黒沢さんが何か歌を披露していた。黒沢さんは途中で歌詞を全部忘れた。そこから先はバックダンサーが外国の方っぽい感じだったので

Ｏｈ〜　ｙｅａｈ〜　外国の方、外国の方、外国の方

とだけ歌っていた。かなり昔の話だが、すごく良かったので今でも頻繁に思い出している。いいな、と思って聞いていたときはもっと何気ない些細な気持ちで、こんなに頻繁に思い出すとは夢にも思わなかった。

「外国の方」

その頃のテレビは野蛮な感じだったので「外国の方」という言葉がどこかに存在している余地はなかった、気がする。かといって「外人」という言い方も多分放送禁止なので、じゃあ外国の方のことはなんと呼んでいたんだろうと『ＹＯＵは何しに日本へ?』のWikipediaを見たら

番組内では性別・年齢問わず外国人はすべて「ＹＯＵ」と呼称する

とあった。「ＹＯＵ」って。友達でもないのに、どうしてそんなに偉そうなんだ。私が「外国の方～」という偶発的な替え歌を頻繁に思い出すのは、冷静な表現をしているだけなのに、すでに何かに冷静ではなくなっている人々の常軌を逸した傲慢さが浮き彫りになってくるからだった。

こちらは冷静になっただけなのに。

平たく言えば、その場に漂っている根拠のない傲慢さに持って行かれない精神的態度を得た気がした。これを利用して、べらぼうに使い倒した異常性で「通常営業」という名の異常性を押し通している方々の出端をくじくことができる。どういった出端をくじくのか。

例えばこちらが目的地に向かう道の知識がないというだけで深いため息をつくタクシー運転手に対して

Ｏｈ～ ｙｅａｈ～ 運転の方、運転の方、運転の方

こういったことを考える。

そうすると、なぜかタクシー運転手のほうが「スン」となり、密室内でハンドルという命を左右する装置を握りしめているのをいいことに専門知識をひけらかす傲慢な勢いが削がれ、にわかに一般的なサービス業としての一面を見せてくる、ような気がする。この念は不思議と伝わるのである。運転の方も、常に閉鎖空間で集中力を使い続ける仕事をしているので客の側が意識しなければ「運転の方」であると忘れているのかもしれない。

あるいはカウンターの寿司屋で

Oh～ yeah～ 板前の方、板前の方、板前の方

と念じたこともある。不思議とこの念は通じる。

板前の方は、ある程度のパワハラ的な雰囲気をサービスでやってくれている節もある。その辺りの塩梅は本当に難しいと思う。

「寿司はやっぱりカウンターで」という感覚は、出されて即食べる醍醐味にも由来しているが、それに加えて多少のパワハラのような「圧」が寿司のスパイスとして機能している側面も否めない。殺伐とした緊張感が味覚の感受性を底上げしているというか。職業に対する性差をなくそうという動きがこれだけ活発になっている現代でも寿司職人はやはり男性というムードが蔓延しているのは、男性のほうがリアルなパワハラの感じが上手い人が圧倒的に多いからなんじゃないかと思っている。寿司職人は、フェアトレードのコーヒー豆を売るオシャレで都会的で親切そうな店員の丁度真逆のオーラを発している。穴子にガスバーナーの直火が当てられているのを見ながら、やっぱり殺されそうになりながらギリギリのところで食べる寿司が一番味しちゃうのだろうか、と思ったりする。

とはいえ、出す側の立場でサービスとして丁度いい殺意の塩梅を維持するのはかなり困難だろうし、その辺りの殺意の設定をミスしている板前はしばしばいる。特に、オーナーの板前ではなく雇われている板前にそういう人が多い。オーナーの板前は設定をミスったら自分の店が潰れて即死というペナルティーがあるのに対して、

雇われている板前の人は何もペナルティーがないからつい客の雰囲気を察するのを忘れてしまうからだと思われる。

私はしばしば街の極めて大衆的な繁盛している回らない寿司店に突然入ったりするけど、カウンターの板前があり得ない常軌を逸したパワハラの気を放っていることがある。そうなったときに、やっちまったなと思って周りを見渡すと客層も常軌を逸したあり得ない、もう人生が3〜4回程度は破滅しているのがデフォルトですという顔ぶれになってしまっているケースがある。流石にこまでやってしまうと食べ物が不味いし「板前の方」と念じても何も通じない。ただ生きるための技術だけが整頓されずそこいら中に散らばって、刺身のツマの鮮度を剝奪している。そういうこともある。

自分に対して念じるのもときに有効だったりする。

Oh〜 yeah〜 外国の方、外国の方、外国の方

昔喫茶店でアルバイトをしていた。最悪の態度のサラリーマンに要求された領収書に記載する漢字が不安だったので、1回パソコンを出して変換したというだけで「テメエはこんな字もワカンねぇのかよォ」と因縁をつけられたが、

Oh〜 yeah〜 外国の方、外国の方、外国の方
Oh〜 yeah〜 外国の方、外国の方、外国の方
Oh〜 yeah〜 外国の方、外国の方、外国の方

と自分に対して念じていたら、本当に自分はある意味

ではどこか外国の方なのかもしれないという気がしてきて、にわかにサラリーマンの人の勢いがなくなり漢字が分からなかった件は不問になりそのまま去っていったことがあった。

どうしてこんなに伝わるのか。

パワハラ、モラハラ的な態度で日々をやり繰りしている人は、相手の驚き、怒り、悲しみ、反論などのリアクションを次の因縁のきっかけにしていることが多いから冷静な態度が最も因縁のつけようがなくて困るんだと思う。

流石に「なんだその冷静な視点は」という因縁に発展したことは、未だない。

ニセモノに憧れたって構わない

みんな、ホンモノになりたがっている。ホンモノになることこそが人生の目的だと言わんばかりにホンモノ情報が日夜テレビや雑誌、ＳＮＳなどを駆け巡っている。テレビＣＭではホンモノが分かる人がホンモノの商品を勧めている。

ホンモノが分かる人、即ちその人もホンモノということだ。

どうすればホンモノになれるのかしら。それは、分からない。

どうしてホンモノになりたいのかしら。それは分かる。

なぜなら、私は「ニセモノ」に憧れているからだ。

ホンモノに憧れる気持ちも、きっと同じであろうから。

ニセ

ってただの当事者よりもむしろある面深刻な切実さを抱えていて面白い。例えば現在の地球のファッション業界では「フェイクファー」は「ホンモノのファー」よりも「オシャレ」ということになっているが、革製品は逆にホンモノが良いということにされている。どちらの文脈もそれぞれの葛藤を抱えてもがいているんだけど、ある程度金銭で解決する（つまり、他人と差をつけられる）革に比べてフェイクファーは圧倒的に難しい。何が正解なのか。よく分からない。いっそのこと極端にチープにすればいいのか、いやそれともできる限りの高級感を出せばいいのか。これはどちらも答えではなく、強いて言えば

「最もＦＡＫＥというものの真実をさらけ出したファッションが優勝」

ということになっている。

こんなに面白いことがあるだろうか。ホンモノだったら立ち現れてこないユニークさだ。

料理で言えば湯葉のような感じだろうか。本来捨てるはずの、熱によって凝固したタンパク質の皮膜をすくい上げて有り難い感じで頂く。この有り難い感じは大地の恵みであることを直感的に知覚できるよく熟れた瑞々しいトマトを丸齧《まるかじ》りにするのでは到底立ち現れない。ニセだからこうなっている。複雑な愉しみであってフェイクファーに似ている。

現実らしさがあるいはリアリティーとして機能するように、虚構らしさもまたフェイクの手触りとして機能している。フェイクの手触りの説得力は我々が日々インターネットというまやかしの空間に、身体が不可分になるほど深く触れ合っているからどんどん増している。むしろ、これからはリアルなんて嘘くさくて流行らないんじゃないか。

そうやってニセのことばかりを考えているというのに残念ながら、ファッションに関して私は驚くほどＦＡＫＥが似合わない。

例えば二十世紀に別れを告げた人類が、大いなるシス

テムの一端となり滅亡へ邁進する精神性を祀《まつ》り讃えるようにして身につけるプラアクセとか。あるいは享楽というものの背後に蠢《うごめ》く死と生への渇望を具体的に表すためにやけくそ気味に貼り付けられたスパンコールとか。

資本主義で回収されようがない刹那的なキラキラ（素材の値段はチープかもしれないが、反射した瞬間の高揚感はエコノミカルなレイヤーよりもっと確実に実在する）へと共鳴する時代性を背景にしながら、自分が装着するとニセが「ニセ」として正常に作動しない。逸脱し、脱走し、歪《いびつ》なりそこないの「ニセでなし」。何度も失われてその度に失望して繰り返した。FAKEですらないチープなメッキ加工が施されたポリ塩化ビニルは時系列を逸脱して崩壊した現文明の残響が聴こえた。

「ニセ」っていうのはそれ自体にニセの自覚があり、フィクションのほうがあるいは人間にとって真実味を帯びている切実さを逆手に取ったところに立脚する生々しさ、持て余した肉体の情感を示す。

しかし私が同時代的な切実さを持って装着したプラアクセはニセの自覚を失い、その瞬間まとっていたニセとしての「けなげさ」のオーラが全部消え失せる。

「ニセ」っていい。

「ニセ」について考えるとき、ついその文脈や届け方までオリジナルの模倣をしてしまうから、ダサく色褪《いろあ》せた価値の低い下流のものだと見られてしまうが「ニセ」の当事者として刮目《かつもく》せよと覚悟があり、そうでなくてはいられなかった自己として、対峙した「ニセ」の切実さは、時にはオリジナルよりずっと胸を打つ魅力を放つ。

そこに優劣は全くない。し、それを「もはやオリジナル」って評するのは全く馬鹿馬鹿しい、意味のないことだ。

知人に聞いた話だが、コスプレの大会に「くら寿司のキャラクターを女体化して闇堕ちさせたキャラ」で出演した人がいたそうだ。

その出場者に対して、司会者が「最早《もはや》オリジナルですね！」とコメントしたという話を聞いて、限られた時間の中で行われる大衆へのプレゼンテーションとしてはほぼベストに近い言い回しだけど、同時にほぼ最悪に近い表現でもあると思った。

そこに表れてしまった切実すぎるギリギリの渇望や表現が「オリジナル」と言ってしまえるほど呑気な状況でないのは明白だからだ。

自分はむしろ

過剰すぎるマジとして

マジがギャグになるほど突き抜けた結果逆説的にPOPさや大衆性を獲得することに成功してしまった極端すぎる本物～

とかが似合う。いつもそう。

そんな自分が哀れで滑稽でいたたまれない。

骨や神経なんか粉々に砕けたって構わないからそれでもいつだってマジでしかいられなかった。そんな自分を愛することに決めて愛し、これからも生きていくことにしています。

2

マシ

Q 友人と話していて、あまりズレたくない点において価値観のズレを感じたとき、どう受け止めればよいか分かりません

A 受け止めなくていい

人間は全員ヤバイので、少々ズレがあったところで気にしなくても大丈夫です。大丈夫じゃないから悩んでいるのだと思いますが、大丈夫じゃなさがあるほうが人間としてはナチュラルといいますか。全員ヤバイので大丈夫です。むしろ、自分は正しい側の人間として生きているのでヤバくなく、ヤバさばかりのこの世の中にドン引きし続けているという発想のほうが人間としてのナチュラルさからはかけ離れていてかなりヤバイというか。

近年はSNS上で何もかもヤバくない側の組織に所属していなければいけない、といったプレッシャーが強まりすぎて苦しい思いをしている人も多いんじゃあないかと思います。

人間ってヤバイですよ。ヤバくなくなるのは無理ですよ。各々のヤバさを自覚してどうすればヤバさがありつつ他人の心を殺さないか丁寧に一つ一つ検証してどこにも答えはないけど少しでもマシなところ最前に一ミリでも近いところを目指して考え続けるしかない。まともさには渾身のままならなさ、面倒くささがありますが、これらをかなぐり捨てるくらいだったら意思や自我なんてないほうがそれこそマシだ。

私は最近、別に世界って変えなくても良かったんだなということに気がつきました。かなり唐突ですみません。自分がこの世に生きている家賃分くらいは少しでも世の中をマシにしたいなと考え続けていたのですが、ちょっとそれでは強欲すぎることに気がついたのです。「環境」っていうのはたった一言でも言い表せてしまいますが、非常に有機的で多層的で複雑極まりなくミクロからマクロのレイヤーまで同時に色々な現象が物質から精神からこれまた多層なレイヤーで引き起こっているものです。したがって、これらを一概に断定しようとするのは何も語っていないようなものだなと思ったのです。人間の内心の途方もない広大さ、宇宙よりも広い孤独の大風呂敷を軽視している。世界は変えなくてもいい、増やすだけで、十分この世には貢献できている。家賃を支払えているんだよ。何がいいかもかなり人によるし。私は誠心誠意、世界を増やそうと思いました。増やした世界にいいなあと思う人が移動してきてくれたら、その人の内心において計り知れないほどの素晴らしいことが起こる。一人一人の内心においては途方もなく語りつくせぬほどの事件が起こり続けているということになりますので、それがかなり素晴らしい。

つまり、受け止めなくて大丈夫です。そこには荒涼とした現実と広がりがある。

マは死んだ」構文で分かる、誰もが理解できる文章の書き方

【「文章の書き方」が分からない】

「文章を書く」という行為に苦手意識がある人は多いのではないかと思います。私も小学生になって初めて作文を書かされたときは、時間が止まったように全く手が動かなくなってそのまま30分くらい固まっていました。今考えてみると、それは当たり前。なぜなら、文章の書き方を全く教わっていなかったからです。

文章を書くという行為は、日常会話の中で言葉を使うのとは訳が違います。会話は「会話をしている」状況自体に意味があるので内容のまとまりや精度は問われませんが、文章というものはただ存在していることには意味がないので、何か目的を設定してそれを達成しなければならない。

以前読んだ文章の書き方の本には「とにかく書いてみよう」とありました。確かに、それも一理あるのですが、そういうことではなくて。「文章を書く」という行為にどのような役割を持たせて、どう達成すればいいのか、幅広く使える方法論が知りたかった。毎回闇雲に手探りの状態で文章を書き出して、運よくなんとかみられるようなものになったな、と安堵の息を漏らすような状態から脱出したかったのです。

作文に関して暗中模索のギャンブルを続けていた私が、やっと手がかりを得たのが大学受験に際して学んだ「小論文の書き方」でした。小論文と言われると、社会的で硬派な内容で日常生活とは少し違う領域に存在しているような気がしてしまうかもしれませんが、全くそんなことはありません。

入試小論文は大体800字〜2000字程度ですが、この文字数で大半が未成年の受験生に何か驚くような新しい意見を期待している訳がありません。それでは一体何を求めているのかというと

テーマを読み取り目的を持って文章を組み立て、破綻なく展開する能力

です。

そしてこれこそ私が知りたくてたまらなかった、人に伝えるための文章にはどのような構造があり、それをどう構築すればいいのかという根本的な方法論だったのです。

【基本的な構造とは】

汗がじっとりにじむ、イヤな感触。何となく書きたい内容は頭の中に漂ってはいるけど、アウトプットしていない思考には順番がないから、一体どこから書き出していいのか分からない。どこで終わらせればいいのかも分からない。何が言いたいのかもウヤムヤになってきたような気がする。そうこうしているうちに、自分の気持ちすら、もうサッパリ分からない。

何のヒントもなく、とにかく文章を書きなさいと言われると人は大体このような感じになります。全てが手探りで途方に暮れる、なぜなら人間の思考には時間軸や整合性がそもそも無いからです。思考が自分の内側にあるときは、全てが渾然一体となっていてもあらゆる文脈を同時に知っているので自然に扱うことができますが、そのまま取り出すと狂人のような不条理の羅列になってしまう。それがマズいのは分かっているから手が止まる。

それでは、どうやって無秩序な思考を文章に変換すればいいのでしょうか。

よく言われるのが「起承転結」です。しかしこれは実は内容ではなく「演出」の方法論です。これを知っていることで、伝え方の臨場感が増すなどの効用はあるかもしれないが、まず何から手をつければいいのかは結局分からない。ここで役に立つのが小論文を構成するための4つの枠組みです。

それは

(1) 問題提起
(2) 具体例
(3) 考察
(4) 結論

です。

これさえ押さえておけば、基本的にあらゆる文章が書けるはずです。大学のレポートも、結婚式のスピーチも、退職届も、主題を伝えていくために重要なのは「全体の構造」です。

もちろん構造に頼らずに文章を成立させることも可能ですが、それは本来整合性を持たない人間存在を表現してみたいなど、かなり高度なチャレンジ精神がある際にやることなので生活上必要になることはあまりないでしょう。

文章を書くときに、まず出だしで詰まってしまうひとが多いのではないでしょうか。あらかじめ伝えたい内容を構造化しておくと、出だしの一文にどんなことばが必要なのか、すんなりと導き出すことができます。

そこで、書き出しの一文を考える前に以下の4点を意識してみることにします。

(1) **問題提起**　視点・テーマの設定
(2) **具体例**　発見のあった出来事、エピソード
(3) **考察**　出来事を踏まえた思考の展開（飛躍・うねり）
(4) **結論**　設定した問題に対してどのような独自の立脚点を提示するのか

これだとちょっと、それこそ受験勉強のような堅い印象で頭に入ってこないかもしれませんので、インターネット慣用句などを用いてマイルドに言い換えてみます。

(1) **ハイパーセルフ難癖タイム**　「これやばくないか？」発表会
(2) **エピソードトークコーナー**　事実のPR
(3) **持　論**　～一人TVタックル
(4) **伏線回収タイム**　計画通り

【問題提起とか言われても困るよ!!!】

いきなり「**問題提起**」とか言われても何のことやら分からずに混乱するかもしれません。「**問題提起**」とは文章全体における動機の発表コーナーのことです。

なぜ冒頭でいきなりそんなことをするのかというと、目的がなんなのかよく分からないうちに話が始まってそのまま進んでいくと読み手がどうしたらいいか分からなくなり置いてきぼりを食らうからです。

面白い漫画は大抵、第1話で主人公の目的が露骨に描写されます。ちょっとストレートすぎるんじゃないかと思うくらいですが、読む側からしたら目的は何よりも知りたい情報なので気になりません。

もし、『3分クッキング』で何を作るのか発表されないまま調理の手順が進んでいってしまったら、ついていけなくて参考にならないと思うのですが、文章においてもそれは同じです。

主題を言い切ってしまうのは少し野暮な感じがするかもしれませんが、読み手からするとむしろ「粋」です。

例えば、家に光回線の訪問販売員が来たとして、

「NTTのものですが、今回お知らせがあって来ました（ただの勧誘）」

と言って目的をウヤムヤにして、なんとか話を聞かせようとする詐欺っぽい風味の悪質な手口がありますが、目的が明示されない文章はこれに近いものがあります。この手口もNTTの名前を借りることで話を聞いてもらっているだけなので、芸能人をやっているなど特殊な条件がないのであれば、文章中では速やかに目的は白状したほうがよいでしょう。

【切り出しは、ダイナミックに】

実は、効果的に**問題提起**を展開していく例として非常に分かりやすい構文があるので紹介します。

それは〝「ガルマは死んだ」構文〟です。

【〝「ガルマは死んだ」構文〟とは？】

『機動戦士ガンダム』という有名なアニメがあります。

作中で主人公アムロ・レイが所属する連邦軍の敵対組織であるジオン軍を掌握するザビ家の青年が志半ばで戦死した際に、戦意高揚のために用いられたのが「ガルマ追悼演説」です。

これが**問題提起**の例としても有り得ない分かりやすさの構文なので以下に要約し部分的に引用します。

……私の弟、諸君らが愛してくれたガルマ・ザビは死んだ！　なぜだ⁉

諸君らはこの戦争を、対岸の火と見過ごしているのではないか⁉


（中略）


ガルマは諸君らの甘い考えを自覚させるために死んだ！　この悲しみも、怒りも、忘れてはならない！

それをガルマは、死を以て我々に示してくれた！

我々は今、この怒りを結集し！　連邦軍に叩き付けて、初めて真の勝利を得ることができる！

……この勝利こそ、戦死者全てへの最大の慰めとなる！

国民よ立て！　悲しみを怒りに変えて！　立てよ、国民‼

我らジオン国国民こそ、選ばれた民であることを忘れないで欲しいのだ！

優良種たる我らこそ、人類を救い得るのである‼

ジーク・ジオン‼

【これが問題提起だ！】

引用した演説の目的は「我々は一丸となり戦意を高揚させ戦う必要がある」という意図をスムーズに最大限効果的に伝えることです。

だからといって、

えー、私達は今すごく頑張らなければいけない局面です。
みなさん大変だと思いますが、ここが頑張りどころですし、我々が正しいので頑張りましょう。

という伝え方では主旨が今ひとつ入ってこないというか、他人事。
へーあなたはそうなんですね。それで何……？　となってしまいます。
これは、下手なスピーチでよくある

「**意図を伝えようとして意図をそのまま連呼しているために内容が伝わらない文章**」

です。普段理由もなく敬われすぎてしまう偉い立場の人間ほど、「他人は（他人なので）

不親切」ということを忘れてしまいがちです。そのために
この場合伝えようとしている内容が「戦争へのモチベーション」という理由が明確でなければ通常やりたくない殺人行為ですから尚更伝え方には工夫が求められます。

【〝「ガルマは死んだ」構文〟】

そこで極めて効果的に用いられている文節が

「ガルマは死んだ！　なぜだ!?」

なのです。
何か問題が発生した。それは、なぜか
ということをまず明らかにすることによって、伝えようとしている内容の発端となる「問い」が共有できる。動機や結論に至るまでの筋道を聞き手が追体験できるために、他人事という感覚がなくなり格段に話者の意図が伝わりやすくなります。私はこれを〝「ガ

ルマは死んだ」構文〟と呼んでいます。簡単な小論文を書くときに出だしに困ったら、これをそのまま引用してしまえば非常に楽です。

例えば

我々には納税の義務があるとされる。なぜか。

といった具合です。

「抱えている問題」に「なぜか」を付け加えるだけなので誰にでもできます。

本当は、「どのような視点で独自の問いを立てたか」というポイントが文章最大の醍醐味なのでできれば構文を活用しつつ、独自性溢れる（オンリーワンの意見でなくてもいいので個人的な理由に強く紐付いた）問いを立てることができたらとても最高なのですが、まずは問いの立て方の練習として上記の構文をコピペしてみるのでもいいかと思います。

入試の小論文であればたったこれだけで読みやすく、また親切なので内容が平凡だったとしても他の受験者との差別化ができるのではないかと思います。

それは

〝「ガルマは死んだ」構文〟（以下、〝ガ死構文〟）にはもう一つメリットがあります。

書き手自身が強引に問題への考察をせざるを得なくなる

という点です。

小論文やスピーチの失敗でよくあるのが、ありきたりで一度は聞いたことがあるような当たり障りのない一般論のような意見を何となく並べてしまうというものです。

たとえ内容が平凡であったとしても、本気で書き手が考えた結果として浮かび上がってきた考え方であればある程度関心を持って読むことができるのですが、本人すら考えたわけではないことを、ましてや赤の他人が関心を持つのはとても難しい。

ところが〝**ガ死構文**〟においては

「なぜだ！」

という問いかけがスタート地点で発生しているので書き手も半ば強引にそれについて考えざるを得ません。

果たして、なぜガルマさんは歳若くして死んでしまったのでしょうか、若かったから、情報が不足していたから、どこかお人好しで、戦争という異常事態をほのぼのとした日常の延長線上であるかのように捉えてしまっていたから……

考察の内容は人によって異なると思いますが、書き手本人が本人の頭で考えて悩んで編み出された持論であるということが、興味深い文章を書くためにとても大切です。

私自身、文章というものは導き出された結論が奇抜であるよりも、本人が独自の考えを持って思考過程を経ていることがよっぽど重要だと考えます。書き手の等身大の意見がさらけ出された文章というものはそれだけで価値があるからです。

【じゃあ具体例とは】

続いて⑵の**具体例**について。

褒めすぎてアレですが〝**ガ死構文**〟のすごいところは

(1) **問題提起**

を一挙に兼ね備え、纏めて短い文で言い切っているところにあります。

(2) **具 体 例**

小論文は与えられたお題に対して「問い」を設定して持論となる考察を展開しなければならないのですが、ここに具体的な出来事、個人的な体験などが織り込まれなければ考察のための材料が不足しているので結局何を考えているのかよく分からない文章になってしまいます。

例えば先ほども例に挙げた

我々には納税の義務があるとされる。なぜか。

という出だしでは、まだ考察に値するような材料がありません。

そこで日常の経験から何とか考察の材料になりそうなヒントを含んだ出来事を見つけ出し具体的に描くのが「**具体例**」という項目です。

「死」はやや過激ですが、なぜその発想に至ったのかという具体的な出来事の描写があると読み物としてぐっと興味が湧き面白くなります。

そんな感じで考察の展開につながる出来事を描写すると読み手に手応えのある展開が生まれます。そこまでできれば全体の構成はほとんどできたようなものなので**(3)考察**を経て**(4)結論**と自然に展開することができます。

【慣れてきたら】

まずは基本に忠実に、難しかったら〝**ガ死構文**〟を用いて破綻のない構成を目指して欲しいのですが、ある程度慣れてきて構文に頼らず展開を作れるようになった場合、次のステップとして

(1) **問題提起**
(2) **具　体　例**
(3) **考　　察**
(4) **結　　論**

という構成を組み替えたりしてダイナミックな展開を作ったり、具体例から語り始めることによって出だしの読み応えをアピールするなど多様な切り口が考えられるようになります。

【気をつけたいこと】

(4) 結　論

について、全体の構成ができていたら扱い自体は難しくないと思うのですが、よくあるミスとして

「文章全体に込められた意図」

と**結論**を混同してしまう

というものがあります。

改めて「ガルマ追悼演説」の末尾部分を振り返ってみます。

我々は今、この怒りを結集し！　連邦軍に叩き付けて、初めて真の勝利を得ることができる！

……この勝利こそ、戦死者全てへの最大の慰めとなる！

国民よ立て！　悲しみを怒りに変えて！　立てよ、国民!!

我らジオン国国民こそ、選ばれた民であることを忘れないで欲しいのだ！

優良種たる我らこそ、人類を救い得るのである!!


ここで述べられている意見は今回起きた事件、それが与えた社会的衝撃、それに伴う考察全てを踏まえ回収する**結論**です。

ここで間違えて「意図」を持ち出してしまうと

「ですから皆さん連邦軍を倒すために戦争をめちゃくちゃ頑張ってください」

という話になり、急に今までの展開が空中に放り出されたような感じがしてすっごい白けてしまいます。せっかく丁寧に伝えてきたのに最後に身も蓋もない本音がバレて台無し。

結論を述べる段階にたどり着いたからといって油断せずに、読み手の心情を受け取って回収しながら、さらに読み手の予想を若干上回るような視点を切り出せたら最高です。他のパートに比べると落ち着いてできる場面ではありますが、決して油断はしないのがとても大切です。

【おさらい】

(1) ハイパーセルフ難癖タイム
(2) エピソードトークコーナー
(3) 持　論～一人ＴＶタックル
(4) 伏線回収タイム

この４つの構造をブロックのように組み合わせていけばかなり複雑な内容でもある程度伝わりやすい文章にできるのではないかと思います。

上記は、小論文のみならず挨拶の手紙やスピーチなどに応用してもかなり気の利いた感じになると思うのでよかったらやってみてくださいませ。

【さらにおさらい】

簡単に振り返ると、よく言われる「起承転結」をもとに構造を組み立てるとなんだか話の筋道がはっきりしないウヤムヤな内容になりがちなので、

(1) **問題提起**
(2) 具　体　例
(3) 考　　察
(4) 結　　論

という4つのパートに分類し、その中でも特に「(1)**問題提起**」に重点を置く、つまり自分にとって決して他人事ではない適切な「問い」を立てることで、破綻なく全体の構成をするという考え方について解説をしています。

小論文というと、どうしても「(3)**考察**」をメインのように考えてしまいがちです。しかし、多くない文章量であれば案外考察の内容に独自性を持たせるのは難しいので、それよりも「問い」がどれほど自分にとって関心が強く、内側から現れてきた切実な問題であるかという点のほうがよっぽど読み手の関心を引くものになりやすいと思うのです。

文章を書くとき以外であっても、「どのように問いを立てるか」という視点はとても重要です。

例えば、会社を辞めたいけど辞めたくない気持ちもあるし、もうどうしたらいいのか全然分からなくなっている人がいたとして、重要なのは結論、答えを出すこと自体ではなく、その過程や適切な問いを立てること、そのために問いの材料になるような自分の抱える問題に目を向けることであったりします。

ここで問いを立てることに失敗してしまうと、なんらかの結論を出したところで問題の根本は解決しません。なぜなら人間の抱える問題はその人物の外側に現れている何か一つの事象に対応する形で存在しているのではなく、複雑な問題の一端が社会適応への阻害として現れてきているだけだからです。ここで問題の根本に目を向けて、

「余りにも考える時間がないほど生きるために最低限必要な全ての雑務の隙間を埋め尽くすように労働が詰め込まれていて、人生を左右する判断が何もできなくなっている。そもそも私は何がしたかったのか」

という問いを立てることができれば、一旦休職をして考える時間を得るなどの対応ができます。

ここで「そもそも何がしたかったのか分からなくなっている」という問題点に目を向けるには、日頃からどのように問いを立てるのか考える視点を持っていることが重要になります。何か不可解に感じる点はないか、わずかな違和感や、どこか腑に落ちない気持ちが発生してはいなかったか、それはどのような言葉で「問い」として立ち上げることができるのか。こういった視点を常に持っておくことで、咄嗟に文章を書かなければいけなくなった場合も、課題に対応して何を「問い」として立てればいいのか比較的スムーズに考えられるようになります。

例えば筆者は周囲が愕然とするほど速攻辞めましたが、銀座でＯＬ業務のような行為をやっていたことがあります。その際になぜか入社記念のレポートを書くように指示された

ので

銀座という土地にはファストファッションの旗艦店が進出しているが、ファストファッションとハイブランドが並列する以前、以後では「銀座」という土地自体のブランド感はどのように変化したか

というビジネスマンが喜びそうなテーマの文章を書き大いに褒められました。

（それ以外の業務では両津勘吉のような最悪の結末をもたらし、私一人のせいで社内の物流網を大混乱させ経理ファイルの内部データはブラックボックスと化しました）

記念のレポートなので他の人は「頑張ります」を長い文章で書くことしかやってなかったんじゃないかなと思います。どうでもいい文章を書くのは人生の無駄遣いなので、問いを立てられるようになっておくとこのように大変重宝します。

前述の方法論は、小論文の構造を元に文章のテーマの組み立て方を解説しているのですが、この方法は特に小論文を書く場合に限らず、小説でもエッセイでもスピーチでも有効だと思います。確認のためこの本を読みました。

『ベスト・エッセイ２０２０』（日本文藝家協会編／光村図書出版）

こちらは毎年出版されている選者がより抜いた良いエッセイだけが編纂された本です。良さは必ずしも何か形で測れるようなものではありませんが、やはり選出されたエッセイを読んでいくと

- 仕事や日常の中で何か疑問を抱く
- 実証や考察を試みる
- 新たな視野が得られる

という流れが概ね共通しています。セレクトされているくらいだから、この疑問自体が驚くような、一筋縄ではいかないものであったり、衝撃的なものであったりするのですが、やはり読み手として新たな視野が開けるまでの思考の流れを追体験するのは刺激的で興味深いことです。

文章を書くたびに毎回「問い」を立てるのは大変そうな印象があるかもしれませんが、本当に些細なものでも構いません。例えば、

定食屋には「野菜サラダ」というメニューがあるが、この場合の「サラダ」とは、
野菜以外の一体何を示しているというのか

とか、これくらいで十分。むしろ細かすぎる視点は見逃されていることが多いので読む側からしたら十分興味深くて面白いのです。

振り返りだけでずいぶん長くなってしまいましたが、ここからが本題です。

あるとき、このような質問が寄せられました。

「文章を書いているときに、どうやってそれが面白い文章かどうかを判断しているんですか？」

確かに!!

文章を書いているときに、それが面白いものなのかどうかを必ず判断しているはずですが、案外言葉にして考えたことはありませんでした。せっかくなので考察してみようと思ったのです。

しかしながら、端的に言ってしまえば答えは既に出ています。

冒頭から解説しているように、

文章を書いている人にとって、そこで現れている「問い」が切実であるかどうか

これが「命」かな。と思うのです。

たとえ内容が正確性を重視する学術的な論文であったとしても、それを書いてる人にとってどれくらいその研究をすることが切実なものであるかという深刻さは必ず筆致として表れますし、それがなければどれだけ正確な文章であっても、資料的な価値が高かろうが、興味深く、おもしろく読むことは至難の業です。ということは、つまり誰しもが文章を面白くするために最も重要な素養をもう既に手中に収めているということになります。

それは、あなた自身のこだわりや、我慢ならないポイントや、看過できなかった不可解な点などのことです。

全ての人が既に文章を面白くするための素養をゲットしているのだとしたら、なぜこの世にはつまらない文章が存在しているのか。それはやはり書かされてしまっているからです。読書感想文のせいで「感想ってなんだよ」という根本的な疑問を抱いた人も少なくないと思います。入試論文などもそうですが、教育課程で身につける文章の書き方は面白いかどうかは度外視して

どれほど忖度できるか、言外に要求されている態度を読み取って大げさにポーズできるか

という点が重視されすぎている節があります。

当然、読書感想文に個人の感想は求められていませんし、実際に求められているのは年齢に応じた適正な子供らしさによって社会全体の道徳的態度が補強され得るような意見と、大きなものに巻かれる社交術、立場が上のものを喜ばせる下の立場のものらしい振舞いの演習のようなものです。「無礼講」と言われた場が実際は最も無礼講からは程遠い空間であるのはよく知られた真理ですが、実はこの無礼講空間は小学生のときから薄《う》っすらスタートしているのでした。そんなことをするくらいであれば「社会忖度文」と言ってくれたほうが、まだ「感想」の意味が分からなくなる人が減って親切なのに、と思ったりもします。

税務署の壁に小学生が書いた「税」を褒め称え感謝する作文がずらりと貼り出され、優秀なものには飾りが付けられるのを見たりするとこれは北朝鮮とさほど変わらないデリカシーのなさだなという気がしますが、真面目すぎる人が多いおかげで成り立っている社会制度などもあるので、一概にどちらがどうとは断定できない部分もあるにはあります。

ただ、やはり基準としては

自分にとって切実な問題かどうか

ここが徹底していれば恐れることはありません。発表する場に合わせて忖度をしたくなった場合は、内容ではなく言葉遣いや態度で忖度をすれば大丈夫です。何かクレームを付けてくるような方は、表面的な態度や形式だけを見ていて内容は理解していないことが大半だからです。

【具体的なコツ】

ここまで文章の内容の判断基準についてを述べたので、続いてはそれをより達成するための具体的なコツについて筆者が心当たる点を解説しようと思います。

文章を書き始めた段階では自分にとって変えがたい、固有の切実な問題について語っていたはずなのに、文章の語り口に引っ張られて内容がどんどん他人事になってしまったという経験は誰でもあるんじゃないでしょうか。私自身も初めて小論文を書いた際は断定口調に慣れていなかったので他人事のような結論になってしまった記憶があります。これに関しては

映画監督のゴダールが

真実を語るために嘘をつくと、皆は私を嘘つきと云う

というようなことを言っておりました。

これはマジでそうです。なぜなら、私にとっての真実を掘り下げれば下げるほどそれは社会一般からしたらありえない大嘘大夫となってしまうからです。人間が一人一人抱える内心の真実というものは、社会一般という人々が共同で作り出した幻想と部分的に含みあいながら全てがすれ違っています。したがって、自分の真実に対して垂直な線を引こうと

すればするほどそれは社会一般からしたらねじ曲がったものになりますし、あるいは巨大な、鏡面が複雑に歪んだ鏡に真っ直ぐな線を映しだそうとしたら、かなり入り組んだ複雑な曲線を引く必要があります。このように、何かに対して垂直であろうとしたら、それは私か社会かのどちらか一つしか選択することができません。

困難なことに、同時にどちらか一方しか垂直ではいられないのにもかかわらず、他人からして興味深く読める文章を書くためには自分の真実に直立している言葉と、社会一般に直立している言葉、そのどちらも採用されていなければいけないのです。

これは何も、一つの文章の中で意見を変えろと言っているのではなく、

一人の人間が自己の真実と社会一般というどちらも人間の生存に欠かせない所属先にそれぞれ引き裂かれている、引き裂かれた状態で存在していること自体が人間を人間らしく成立させている

ということなのです。

だから社会一般にとっての正しさを書くだけでも自分にとっての真実を書くだけでも、本当のところの人間性からは遠ざかってなんだか面白みのないものになっていってしまう、その辺りのＤＪ行為というか、書いている人も引き裂かれながらバランスを取っている姿勢が面白い内容の文章を書くためには欠かせないかなと思っている次第です。

冷酷・自由・正直な
ンス映画脳」

たまに他人の脳内に「フランス映画」を感じることがあります。

それは世界に対する取り留めもないボヤキのようであり、よく聞くと愚痴の形式を取りつつもメインは己の不完全さ、至らなさ等を嘆く自嘲であり、要するに

「私って〝愚か〟な人間なの」

ということを口にしているわけですが、よくよく言っていることに耳を傾けると、何か至らない部分があるわけでなく究極的には

「私は私だからダメなの」

というようなことを言っているのです。これって別に

「私は私だから最高」

って言っているのとあまり変わらないし本人も楽しそうだから、つられて私も楽しくなっちゃいます。こういった「場の空気を壊さないくらい抽象的に自嘲しているが、根本的には楽しそう」という感じになる人をしばしば見かけるので、

私はこういった人々を「脳がフランス映画の人」と、このように呼んでおりました。

上記の現象はそれはそれとして、そういうこともあると脳の片隅に転がっているだけだったのですが、先日『ジャーナリストの視点』(佐々木俊尚)を読んで上記の感想に視座が与えられたのでした。

「アメリカ映画とフランス映画、そして日本映画の違いって何だ

ろうか？」

という疑問に触れている文章です（「個人の狂気を見い出すフィルタリングシステム」CNET Japan 2009年6月9日付）。

要約すると、アメリカ映画（ハリウッド映画）は完璧な物語構造を持った「プロット」の世界であり、日本映画はコミットしきれない余所者としての「風景」を描き、フランス映画の中心的なテーマは要するに人間社会の重層性を浮かび上がらせる「関係性」だ。

とあったのです。

当然例外もたくさんありますが、これはもうナイアガラの勢いで書いてあることが腑に落ちました。普段の我々って割と、アメリカ映画の脳と日本映画の脳の対立で物事を捉えていることが多いように感じるんですよね。

アメリカ映画的な「私やこの社会は何か克服しなければならない問題を抱えており、問題を抱えるのに至った理由にはこのようなものがあり、それは克服されるべきであり、神ではない私は不完全だが常に克服しアップデートされていく」というイメージを持った脳、そして

日本映画的な「私は私として個人的な考えや情動に基づいて何かの願望を達成するために活動し、時として自分の力だけではどうにもならず何かしらの大いな

るものに祈りを捧げたりすることもあるが、大いなるもの（自然や個人の力ではどうにも変えることができない社会の仕組みや他者の内面など）はそんな個人的情念などというものとは無関係に「他者」として存在し続けるのであった。それが、哀しかったり美しかったり切なかったりする」

というイメージを持った脳の二項対立による物事の認識です。

極端な感じもしますが、これらが場面によって割合を変えながらどちらも存在しているような印象です。ザックリ東洋的な思想と西洋的な思想の両軸が存在していてバランスが取れてるような感じがしますし、三人称視点もカバーされて申し分ない。まあ結構、このやり方でいいんじゃないの？　と思っていたのですが、映画マニアの方々はここに

「フランス映画脳」

というすごい脳のOSを持ち込んでいたのでした。この、通常ありえない発想に気がついた瞬間度肝を抜かれました。そして西洋、東洋の二極相対的発想が半ば常識と化していた私自身のものの捉え方をかなりダイナミックに粉砕してくる感じがありました。何がそんなに驚きなのか。

「フランス映画脳」は「知らんけど」という感じなのです。

それだけ？　って感じがしますけどこの「知らんけど」の効果対象範囲がかなり柔軟で手広いのです。自分自身が「このような自分」になってしまった因果すら、フランス映画脳に言わせると「知らんけどね」という感じなのです。

これって、ちょっとすごい。

アメリカ映画も日本映画も考えてみると結果は違っても「何かに因果を求めようとしすぎている」という意味ではかなり似ています。かなり拡大解釈になりますが、第二次世界大戦の戦勝国が「なんとかできる（しなければなら

ない）」と考えて敗戦国が「なんともならない」と考えているという捉え方も可能といえば可能です。そんなことをしている間にフランス映画脳はワインを飲みながら己の不合理を愉しく嘆いていたのでした。これって松尾芭蕉が鵜飼いの面白さを謳いながら嘆いていた感じにちょっと似ています。アメリカ映画脳は鵜飼いの支配から逃れようとする鵜で、日本映画脳は鵜飼いをして生きていくしかない鵜飼いの哀しさで、フランス映画脳はそれを見ている松尾芭蕉〜という感じです。

この世は関与したくない因果で溢れています。というより大半が、勝手に巻き込まれただけのいい加減にしてほしいことばかり。いちいち因果から背負い込んだらやっていられませんので、即座に採用したい考え方です。

しかしこの捉え方は優雅ですが「それを見ている松尾芭蕉〜」の視点をメインに生活していては、とても生き馬の目を抜く現代社会には対応できず、というか残念ながら人類史にそんな精神性で生き延びることができた場面はなく、不自由な世の中で精神の自由を求めてフランス映画脳みたいなものを全面採用した人は多分大体無残に死んでるから、これに一本化すると代償がでかい。

盤石の貴族に囲われている芸術家やアルチザンの人などには是非フランス映画脳を積極的に参考にしてほしいのですが、あまりいないと思うので、一般の中産階級の方は合理性や整合性、ただ存在しているだけのことに対する因果（なんで東京にいるの？　みたいなやつ）を求められすぎて「死にてぇよ〜」となった際にサッと取り入れて、

ままならない不自由な物理面の世界に「（私自身も）知らんけどね」

という態度でもとって精神をマイルドでユニークで自由な方面に持っていくの

がいいのではないかと思われます。

　今まではフランス映画を観ても主人公の立場がどれか一つに明確にならないことが多く感じて、そりゃあ生きてて24時間教師だったり恋人だったり父親だったりゲイだったり特定の問題を関心事項の最前線で抱え続ける自我であったりという人間はいないのですごい当たり前なんですけど、分かってても一つの作品としては立場や精神的態度が纏まっていないとどうやって観たらいいか分かりにくいな～と思っていたのですが、上記の考え方を知ったおかげですんなり受け入れられそうでよかったです。我々も理由や前触れもなく突然熱海などに移住しましょう。

　改めて日本映画とアメリカ映画を比較してみると因果の引き受け方に個性が出すぎていて面白いです。フランス映画は因果を精神的には引き受けないが物理的には巻き込まれるので悲しくともどこか余裕があり、これが俗に言う「アンニュイ」ということなのかもしれません。

無尽蔵に理不尽なクレーム VS 事実の指摘

私は知らない人からＳＮＳのメッセージ機能で

「お前自分のこと頭いいと思ってるだろ」

と言われたことがあります。思っていたとしてなんなのか。思っていなかったとしてもなんなのか。

これはおそらく「クレーム」というより「いちゃもん」に分類されるメッセージだと思います。まさかとは思いますが、このメッセージを送った人物は例えば「立ち食いうどん屋」を見かける度に厨房に立ち入り

「お前自分のことうどん打つの上手いと思ってるだろ」

と言い回っているのでしょうか。上手かったとしてなんなのか。上手くなかったとしてもなんなのか。全く意味は分かりませんが、とにかく「いちゃもん」というのは、意味が分からないことを申し付ける行為自体に意味があるようです。

というのも、先日実際にチンピラの方にこのようなニュアンスで話しかけられる事案が発生したのです。

新宿に映画を観に行ったときのことでした。劇場内はかなり空いていたのですが、同じ列の座席に座っている男性と女性のカップルが何やら盛り上がっておりました。映画は『ミッドサマー』ディレクターズカット版です。どうやらチンピラの方々は、『ミッドサ

マー』をドラッグムービーの一種であると捉えているらしく、物語中に薬物が登場すると俄然盛り上がりクラブのような盛り上がりコーナーを始めてしまいました。仕方がないので「会話は後にしてください」と話しかけたところ、上映後しっかりと難癖をつけられてしまったという訳です。明るいところで改めてチンピラの様相を拝見すると、「極めて低品質のB'z」と「覚醒剤を常用している顔つきである点以外は、LUMINEにいそうな女性」の二人組であり、正統派のヤクザ・チンピラというよりはフリーランス、自由業としての副業的チンピラという趣でありました。どうしよう、通報したら即薬物がバレそうな雰囲気ではあるが……？　と逡巡しつつ目を泳がせていると、条件付きでLUMINEにいそうな女性が

「ダッセエ!!」

と発言をしました。煽りだと思いますが、その途端俄かに「低品質のB'z」の方のファッションスタイルが実に克明に浮かび上がってきたのです。それは、以下のような内容でありました。

- 園芸に失敗したご家庭のようなヘアースタイル
- とりあえず肩パッドの周辺にスタッズがついた革ジャン
- 拾ったような色合いであり、地割れのように深いシワが無数に刻まれたデニム
- 成人男性のこぶし2つほどの、不合理に巨大なバックルのベルト

そして、私が最も気になり、克明に印象に焼きついたのが彼の「ペンダント」です。

それは、胸元まで垂れ下がった革ひもの先端に、ガラス製のペンダントトップがぶら下がっている仕様で存在をしていました。ペンダントトップには、

ガラス玉の中に2つの歯車と時計、そして翼が埋め込まれていました。なんと言ったらいいのか……。

向こうからしたら迷惑な話かもしれませんが、私はイタリアの観光スポットとして有名な「真実の口」に共感しています。また同時に、悲哀をも感じています。なぜならば、「真実の口」が本当にやりたくて「真実」をやっているとは限らないからです。むしろ「真実」以外できない性質の方に対して勝手に集まっている人々が好き勝手に「真実試し」のような行為を繰り広げているとしたら、こんなにひどい話もありません。そもそも不特定多数で囲い込み、次々に喉元に手を差し入れるというのは反撃されても止むを得ない、ひどい行為と言えるのではないでしょうか。人間は、あるいは目の前の「現金」に目がくらむように、目前の「真実」に対して誰も気がつかないいま暴徒と化しているのでした、当然裏に……。

幸いなことに、チンピラの二方は「くそだりぃ」みたいな感じになってどこか行ってしまったのですが、これでは命がいくつあっても足りません。自分はラッキーなので生きてますが、普通に生活しているだけなのにギャンブルが過ぎます。私はインターネットを利用して「いちゃもん」のテクニックについて詳しく調べることにしました。

【そもそも「いちゃもん」とは】

調べた結果、驚くべき実態が浮かび上がりました。「いちゃもん」の一般的な性質として

- それが事実であるかどうかは全く考慮しない

という特徴が見られるのです。なぜ事実かどうかを考慮しないのかといえば、それは「いちゃもん」という行為の性質、それ自体が事実を無視することで成立しているからです。

【「いちゃもん」の構造】

(1)クレームの提示（内容はなんでもいい）

(例)「うるせーよ」

(2)A　否定した場合

←

否定に対しての不満・苛立ちを主題としたクレームの再展開

(例)「うるさくしておりません」

←

「口答えしてんじゃねぇよ」

(2)B　クレームの内容を認めた場合

←

謝罪や場合によっては金銭的賠償を請求する

(例)「うるさくしてすみません」

←

「じゃあ金を支払え」

これは、言ってしまえば「**無尽蔵理不尽システム**」であって、そもそも「交渉・解決」といった何かしらのゴール着地点へ向けた問いかけではありません。

- ストレスの発散
- 金銭の横領
- 周囲の人間へのアピール

等、つまりは実利や迷惑をかけること自体が目的であるために、むしろ事実と反することを言ったほうが効率的であるということです。

なぜ事実に反しているほうが効率的なのか。それは、ありもしない理不尽や不満を唐突にぶつけることで、相手の自尊心や正常な判断力を咄嗟に奪い取ることができるからです。これは家庭内ＤＶや洗脳の過程でもよく用いられるテクニックです。日常的に事実に即していない非難を繰り返すことで本人の自己判断能力を徐々に失わせ、任意の人物を容易《たやす》くコントロール下に置くことができるからです。このテクニックは、特に賢くない人物でもパターンを学習することにより容易に再現することができます。従って、特に親しい間柄であっても事実無根の言いがかりをつけてくる相手には油断をせず政治的交渉に取り組むような態度で接するべきでしょう。

なぜ私にいちゃもんをつけてきた人物群が「くそだりい」となったのかようやく分かりました。要するに、そこに「訂正」という軸はないし「事実」についての話は全くしていないからです。

譲歩・妥協を引きずり出し、無尽蔵に増長することが目的だったのでしょうが、そうはいきません。なぜならこちらは「事実確認（マジレス）」という姿勢を崩すつもりが全くないからです。この場合の「事実確認（マジレス）」とは、相互に現実認識が重なり合う領域を検証する態度と言えるでしょうか。結局のところ「いちゃもん」というスタイルは社会活動をスムーズに成立させるための相互規範意識にフリーライドした場当たり的な戦略にすぎません。ジャンケンのような三すくみの関係性で捉えるならば、「いちゃもん」は「社会規範」に強く、「社会規範」は「マジレス」に強い、そして「マジレス」は「いちゃもん」に強いと言えるでしょう。

「いちゃもん」で最もメジャーな文句はやはり「**何見てんだよ**」でしょう。これに対して「見ていません」と返すと、「社会規範」つまり勝てる手としての妥協を引きずり出す可能性を相手に与え、増長の夢を見させてしまう懸念があります。したがってこの場合は「スマートフォンを見ています」と返答するのが最適でしょう。これはただのマジレスなので、相手に増長する余地を与えません。それでも何かワンチャンスを夢見るチンピラの方には、本当にスマホを見ていただけなのだが……と事実を『Every Little Thing』のいっくん程度のムードで提示し、それでも治まらない場合は堂々と通報をするのがよいでしょう。

文章は死体のようなものだと書いた評論をどこかで読んで、それがどこだったかは忘れたし、それ以外にどんなことを言ってたのかも忘れたし

それを言ったら、もうそれ以上先のことについては私たちのような生きている人間が何か囀《さえず》るようなことは極めて厚かましい、高慢ちきな耐えられないうざったい感じがしたからだったけど、

確かにそうで、本は肉体の血の流れから切り離されているし、今に流れた血しぶきが溶鉱炉のようにのたくりまわって焼き殺しそうな血反吐を放っていてもいずれは粘土のような塊になってどかっと地面に落ちる。そうしたら血しぶきをあげたばかりの人間の傷口にも絶対に、何が何でもくっつかないでいてくれるのであって、それは柔らかい層が折り重なって優しく降り注いでいるのにとても無機質であって読む人を音もない領域に連れて行くしもう二度と死なない。

そういうものへの愛は、霧のようでうれしい。そして人間離れしすぎているので、私はもっと人間チックな命と空洞が同時にあるものにだってずっとそばにいてほしい。

雑誌が好きだ。雑誌っていうものは買ってもいいし買わなくてもいいし、読んでも読まなくてもいいし、だからといってなくなったりするし、読んでもなくなってい

たりもするし、どうでもいいしよくないしそれがめちゃくちゃに好き。読んでなくても存在すら知らなくても、それを編集している人が常に絶対にいるっていうことがたまらなく好きだし、大衆的で下劣すぎて嘘ばかりでもそれがあるということは本当だし専門的すぎてマニアックすぎて情報量多すぎて自分との関係がUMAみたいでもそれがあるということは本当だし生花を幾度も切っては飾っているように何回も何回も死んでいる。それがたまらなく好きで好きでしょうがない。

部屋に繰り返し飾られる切り花が死んだ瞬間を決めているのは私だし、死体を捨てているのも私でしたが、どうだろう。生ゴミの中にうずくまる軽いゴムのような繊維が、決して腐敗しないでいて突き刺さる。どうしてか。私の目の前に現れた切り花はもうすでに地面とは繋がっていないから現れた魂までがそのままで直立して突き刺さる。質量がなく、霊的でもない空虚の痕跡がどこに刺さっているというのか。

肉体と幽体はシルバーコードっていう銀色の繊維で繋がっているらしいのです。

意志がない銀色の線を束ねて飛ばすと雑誌のように見えなくもないし

それが愛おしいという感性は植物だったときの名残かなってロマンチックな感じになりました。

土は好きだけど関わりたくないときもかなりある。

切り花が大量に売られてる場所は冷たいし、切り花から溢れている生気も土関係ないから生きる執着がゼロで重力関係ないじゃない。夏は嫌いだけど暖房より冷房のほうがずっと好き。実体の活動が低下すると、血液がどうどうしてなくても毛細管に透明な液体を張り巡らして生きている生命体のことが理解できるようになる。そうやって心を透明にしているときにだけ物理的な振動を伴わずに聴覚を発動させられることができるからやっと集中して聴ける。よかったな。よかったよ。

夏は生きめまぐるしいからそれもあって工事の音とか耐え難い破裂音になるんだよね。ガンガン工事をしていると土が減っているのだから余計に生きめまぐるしさが反響するので。

遮断機の周りには少しだけ土があってそこにばかり残響の名残が密集していて、こんなところでカンカン音を鳴らして何回も遮断機を上げ下げしていたら頭がおかしくならないか？

脳がみっしり編み目が詰まったセーターだったらほぐして、繊維の一枚一枚まで剝がし切って飛ばしてみたい。光る銀色の繊維を束ねてみたい。死ぬとか生きるとか無関係に聴いて考えてみたいです。憧れのストロー。

「かたづけ」というものが根本的に分からない人に向けたゼロからの解説

【はじめに】そもそも「かたづけ」とは何を意味しているのか

多くの人が、物心ついたときには、「かたづけなさい」と指示された経験があるでしょう。

一体、何を？　どうやって？　どの程度？

具体的な内容は誰も教えてくれないのにもかかわらず、

指示された「それ」をやらなければいけない。

やらなければ人間としてまともになれない。

「それ」はできて当然である。当たり前のことが当たり前にできる人間になろう。

時に、かたづけはこのような脅迫的メッセージを伴って指示されます。これは人間の義務なんだからと。しかし、一体「かたづけ」とは何をどうすれば「かたづけた」ことになるのか、具体的な目的と達成条件については誰も教えてくれません。

まずはそこだろ。頼むから教えてくれ…誰か

と、私はいつもそんな風に感じておりました。

だって、何をどうすれば「かたづいた」ことになるのか、結論が見えてこない。生まれてこの方一回も具体的な方法について説明されてない。

それを突然「やれ」と言われても困ります。説明されていないのだから、分からないのは当然なのに、かたづけは生まれつき誰でも知っている当然の技能のように思われている。それどころか、「かたづけができない人は、人間として大切なものが欠けている」とする風潮すらあります。鮭が産卵時には生まれ育った河川に回帰するように、人間に生まれた以上は当然の人間性として「おかたづけ本能」を発揮しなければならない、とでも言わんばかりの。本能って具体的にはなんでしょうか。私には分かりません。

一体、人類は揃いも揃って執拗に「何」をしたがっているのか。未だ「何か」としか言いようのない「何か」に人類が向ける熱意や義務感はどのタイミングで獲得したものなのでしょうか。あるいは、本当に私は人間を人間たらしめている重要なおかたづけ本能が欠如した、人間未満であるのかもしれません。

私は以前、特殊な部屋の住人としてよくお部屋取材をされていました。つまり、部屋の様相が一般的な水準から見て異様であったということです。友達が家に遊びに来てくれたときに、見るに見かねて部屋をかたづけてくれたことがあったのですが、私の部屋を懸命にかたづける友人を見て私が抱いた感想が以下です。

「何でそんなにがんばって物の位置を移動させているんだろう」

優しい友達に対して、あまりにもひどい感想です。結果、部屋は一般に「かたづいた」と言い得る状態になりました。なったのですが…

友人の好意的な行動には感謝しつつも、私からすると、「かたづいた」とされている部屋の状況は物質の位置が丹念に執拗に変更された空間に過ぎず、丹念な移動がどういった意図で進行しているのか実際の行為を観察しても読み取ることはできませんでした。むしろ、友人は「移動の偏執狂」ではないのかと思って感心してしまいました。確かに、ここまでくると、人として大切なものがちょっと欠けているね、という扱いをされても仕方がないのかもしれません。

しかしながら、「かたづけ」が何なのか感覚的に理解できなくて困っている人は私だけではありません。それどころか、「かたづけ」の具体的な意味が分からないまま、とにかく人間として真っ当に見える範囲に部屋を整えてはままならなさに疲弊しきっている人は、多数派ではないのかと思うのです。

多くの人がかたづけと生活の両立が立ち行かないまま、自分の快適さよりも社会的な規範意識ばかりが先に立って求められるかたづけの不条理さに辟易《へきえき》しているのではないか。その根本は、やはりかたづけがなんなのか、根本的な領域に立ち返って考えていない、社会全体の怠慢にあるように思えました。

分からないの度が過ぎる。こうなったら真剣にかたづけを考え尽くして再定義するしかない。私はあるとき、一念発起して、かたづけとはなんなのか、何が必要でどう目的意識を持てばいいのかものすごく真剣に考え尽くしました。そうしたら、なんと全部分かりました。かたづけのことが。そんなことあるの？　って感じですが、分からなさが度を越していたのが良かったのかもしれません。解決しました。嬉しい。

これが、とても便利なので他にも「かたづけ」の意味が分からなくて困っている人に伝えたいと考えて内容を纏めたのがこの文章です。

やっとかたづけについての根本的な説明をすることができました。これでかたづけの内容が理解できるはずなので、それができるようになるかは別としても、少なくとも何か得体の知れない人間能力が足りず社会的に否定される喪失感はなくなるはずです。

目次

【考え方編】

そもそも「かたづけ」とは何を意味しているのか

具体的なかたづけの説明に入る前に、そもそも一般的に「かたづけ」はどのように扱われている概念なのか考えてみます。

子供向けのアニメでは、作中に教育的な内容が盛り込まれることがありますが、幼児向けアニメですら「かたづけ」というものの意味自体を説明する描写を見たことがありません。

一体「かたづけ」というものをあたかも自然に体得しているように見える人はどのようにして「かたづけ」の意味する内実を学習したのでしょうか。義務教育で習ったのか。

一応小学校には掃除の時間が設定されていますが、これはどちらかというと

『適性などとは無関係に定量的に割り振られた職務を（それがたとえ不条理な内容であっても）強く疑問を抱かずにそういうものだと割り切ってルーチンでこなすための訓練』

であり、個々人が社会的に要求される「かたづけ」というものの内実やスキルとは何ら関係がありません。

私が知りたいのはもっと具体的な目的や手順の解説です。

料理や裁縫についてはご飯を炊く、雑巾やエプロンをぬうなど初歩的な教育が義務教育の中に織り込まれているにもかかわらず、「かたづけ」の基礎的方針を教えてもらうチャンスはどこにもありません。

図書館で「かたづけ」に関する本や雑誌を紐解いても

- 細かい埃をとるために有用な使用済みストッキングの活用法
- 100円で購入できるプラスチック製の棚で細かく分類するメソッド

など、土台を理解した上級者向けのコツばかりが異様に丹念に描かれ、そもそも「かたづけ」において何が要求され、そのためにどう行動を目的化すればいいのかといった根本的な知識はどこにも売っていません。

実は誰も「分かってない」

かたづけについて調べていく過程で、「かたづけ」と大体セットで使われる言葉があることに気がつきました。

それは

「生活感のない空間」のような

生活感のない◯◯という表現です。

つまり

「かたづけ＝モデルルームのような生活感のない空間がゴール、到達点」

という目的意識が前提になっているのです。それはつまり、かたづけの動機付けとして設定された

- 見栄えがよくない物を隠す
- ちゃんとしているように見せる

という目的が肥大化しすぎた結果、ズレて逸脱したものが誰も訂正をしないままに「かたづけ」の共通認識になっているのではないか。他人に良く見えるようにするという動機は、実際は「かたづけ」の数ある要素の中の一つでしかありません。むしろ、これらの目的はかたづけの主目的とはあまり関係がありません。本来かたづけとは、生活をより良くする為に行われるはずです。他人へのおもてなしの態度や気遣いは、強いて言えばオプションの要素。そんなに頑張らなくてもいいはずのパートです。盛り上げのフレーバーに過ぎないにもかかわらず、拡大解釈されすぎている。そのために、かえって誰もがかたづけのことが分からなくなる集団混乱状態に陥っているのではないかと思いました。

つまり、

「かたづける」＝モデルルームのような生活感のない空間を目指す、生活の痕跡を隠蔽する

という認識が疑問の余地がないほど蔓延した結果、「生活感の隠蔽」がかたづけの主目的として語られるようになってしまい、マスキングテープでデコった百円ショップのトレーに生活雑貨を並べて偏執的に整えては、暮らしが余計に困難になるという複雑な苦しみが発生しているのではないか。

本当にそんなことが必要なのか。もっとシンプルに考える必要がある。

何のために「かたづけ」をするのか

ひとまず、できるだけシンプルに考えてみることにします。

住居の目的は何か、それは

- 安全で快適な休息のため
- くつろぎと娯楽のため
- 身体を清潔に保ち身嗜みを整えるため
- より経済的または充足的に生活するための調理、飲食スペースのため
- より効率よく仕事をするため

などの目的を各自の要望に合わせてカスタマイズし達成する空間です。他にも、様々な目的があると思いますが、

『限られたスペースに住む人がそれぞれの目的を設定し、達成するために運用する空間』

それがつまり「部屋」ということになります。

したがって、かたづけの目的は原則的に

「各自が設定した目的をよりスムーズに運用する」

と考えてください。

ここで重要なポイントは「かたづけ」と「掃除」をひとまとめにしてごちゃごちゃにしてしまうとよくわからなくなってしま

うので、あくまで「かたづけ」と「掃除」は別のタスクとして認識しておくという点です。

(1) **かたづけ**＝空間のよりスムーズな運用のためのレイアウト、無駄の排除、効率化、快適化

(2) **掃除**＝既にレイアウトされた空間の整理整頓・汚れの排除

です。似ているように見えるかもしれませんが、本質的には全く異なる目的の軸を持った行為であることがお分かり頂けると思います。

「かたづけをしてください」という一言で「かたづけ、掃除の両方を同時進行的にこなしてください」というかなり複雑な指示をされていたりすることも多いのですが、これは作業工程を無視した強引な指示なので無視して構いません。

両方やる必要があるときは、まずは

(1) **かたづけ**

それが全て終わってから

(2) **掃除**

をやるようにしてください。

かなりの上級者の人は別として同時進行すると効率が悪くどちらも終わらない羽目になります。というか普通に両方やるのはすごく大変なので、2日（部屋がかなり終わっているという人はもっと日数をかけて小分けにしてください）に分けてやりましょう。

改めて目的を考えてみると、とてもシンプルです。しかし、それを一体どうやって「やる」のか。

ご安心ください、より詳しく手順を追って「やること」を説明します。

理屈さえ分かれば、とても簡単です。

コラム

なぜミニマリストは……

テレビや雑誌などのメディア媒体に出ている「ミニマリスト」の方を見て、

なんでそんなことをするのだろう、これが「ゴール」だと言うのなら一体かたづけなんて究極的には自己滅殺に向かう馬鹿馬鹿しい行為ではないの？

と不思議に思ったことはありませんでしょうか。

実はメディアで紹介されているミニマリストの方は、別にミニマリズムに沿った精神性を発揮してあのようなスタイルになっているわけではありません。

そもそも、特にバラエティ色が強いテレビ番組に出てくるような、極端に物を減らす虚無的な「ミニマリスト」の人は実際はミニマリストでもなんでもありません。強いて言えば「捨てマニア」と名付けます。それらの人々は「ミニマル」と真逆のことをしている、もっと言うとゴミ屋敷に住んでいる人とやっていることは変わらないのです。

ゴミ屋敷の住人がなぜゴミを溜めてしまうのかと言うと、それは「物質を所有する」ことでドーパミンが分泌され、また私たちの脳はそういったことでドーパミンが放出される回路を強化する訓練を社会的に受けているからです。

私たちの脳はちょっとした習慣や生活スタイルのくせからつい依存症に陥りやすいように報酬系回路が強化されているのです。そのためにゴミ屋敷の住人はついつい物を所有するという快楽に依存してしまっているのですが、極端な捨てマニアの人もこれと同じです。

「捨てる」というのは、物質を獲得する行為の真逆に見えるかもしれませんが、実際には「捨てる」ことで空間や所有している物質に占有される脳のメモリーを開放することで「獲得」しているという一面もあるのです。

そのために極端な「捨てマニア」の人は極度の捨て依存症に陥っているのですが、生活感のない部屋というのは一般的に賞賛の対象となりますから本人自身も依存症に陥っていることに気がつかずに「捨て」の道に邁進してしまうということになります。

（実際に『探偵！ナイトスクープ』で捨てマニアになった元ゴミ屋敷住人を拝見しました。彼は自分の部屋にはもう「捨て」るモノがないということで、他のゴミ屋敷住人のモノを「捨て」まくっていました。これは、過食症が拒食症に転じたようなもので本質的に抱えている問題は変わっていないと感じます）

ですから、かたづけをマスターしても虚無人間空間にはならないのでご安心ください。

むしろあなたが生きる上で達成したい目的をより達成しやすくなるので上記とは逆のことが起こります。本来のミニマリストもそれが目的のはずです。

【実践編】

❶ 明確な「目的」の設定 ――定食に例えて考える

さて、前置きで「部屋」という空間を
『限られたスペースの中で住人が目的を設定し、達成するために運用する空間』
と定義し
「かたづけ」の目的を
『各自が設定した目的をよりスムーズに運用する』
と定義づけました。
つまり、まずはかたづけの前にそもそも
自分の部屋で達成したい目的
（副次的に目的の優先順位、それに費やすリソースの度合い）
を設定する必要があります。

これを例えて考えるのにうってつけのシステムがあります。

それは
「定食」です。

お盆を居住スペース全体の空間、器をそれぞれの部屋と考えると分かりやすいと思います。

単身者が住むようなワンルームマンションは、差し詰め全てのおかずとご飯が一つの器に盛り付けられた丼のような感じです。

まずは、紙と筆記用具を用意して、自分の居住空間としてのトレイ、そして部屋の間取り図を参考に器を書き込んでみてください。

より考えやすいように

- **お米**＝寝る
- **主菜**＝寝る以外であなたにとってメインにする行為（仕事、趣味、調理など）
- **副菜**＝寝る以外であなたにとって副次的にする行為（読書スペース、飼い猫の空間）
- **汁物**＝身だしなみ（服の収納や鏡、ドレッサーなど）
- **ドリンク**＝風呂

と設定します。

一般的な生活スタイルと大きく異なる生活をしている人は自分にとって必要な要素を設定してみてください。

設定できましたでしょうか。

目的ごとに配置を設定する

設定できたら今度は配置します。

ここで

「自分にとってどの程度目的に対してリソースを割くか」ということも考えてください。

結果として配置しきれなかった場合は、思い切ってあまり使わない目的は部屋の中に設定せず、外部の空間を利用するという考えも有効です。

例えば、

- **くつろぎ&読書スペース**→　カフェ、図書館で代用
- **調理、食事**→　外で済ませるか買ってきて食べる簡単な空間のみ確保

などが考えられます。

お風呂はジムでシャワーを浴びてしまうので入浴スペースを空間運用の余白として展開するという手もあります。（後の項目で触れます）

空間に対して目的を詰め込めば詰め込むほどその後の運用難易度が上昇するのでかたづけが苦手な人は目的をなるべく絞ることをお勧めします。

例えば、一人暮らしの狭い20平米1Kの間取りであれば

- **寝る**
- **くつろぐ**（勉強or仕事）
- **調理**
- **身だしなみ**

くらいでもういっぱいいっぱいな感じです。

並べている段階ではまだ少し余裕があるように感じたとしても、後々運用する段階で余白がないと目的が多すぎてドボンするのであくまで詰めすぎないように考えてください。

これがもう少しキッチンが広い1DKくらいの部屋であれば

- **寝る**
- **くつろぐ**（勉強or仕事）
- ◉**趣味**
- **調理**
- **身だしなみ**

くらいまで設定しても大丈夫だと思います。

が、上記の設定はドボン寸前のギリの配置なので自信がない方はできるのであれば余白を多めにするのがオススメです。

ワンスペース、ワン目的の徹底

お部屋の数には限りがありますが、空間はできる限り目的別に区切ってください。

目的と空間が符合していれば、いざそのスペースをかたづけるとなったときに「どうすればこのスペースの目的を達成するためにより効果的にできるか」と考えることで進展が非常にスムーズになります。

逆に一つのスペースに複数の目的が設定されていると、どうしたらいいのか分からず、とりあえずものを隠すというその後の運用を考えると不毛な展開に転びがちです。

一つ一つの空間は小さくてもいいので目的ごとに分けるのがオススメです。

最優先事項 至上命題としての「動線の絶対死守」

住空間の根幹は何かお分かりになりますでしょうか。

実は「動線」です。

そんなバカなと思うかもしれませんが、部屋の目的は「生活の運用」ですから運用が目的である以上は動線が最も重要になるのです。

なのでレイアウトの段階で動線の徹底確保&死守を必ず念頭に置いてください。

そもそも動線が存在していないという人は設定してください。

「最悪の事態」込みの運用計画

⑻余力がないときのために優先順位を設定する

これだけで部屋全体の運用難易度がかなり低下します。

部屋にどういった目的を設定し運用していくかイメージはできましたでしょうか？

それぞれのスペースにおいて、どの程度の処理がされていれば運用目的が達成できるか設定して、それを下回らないようにするのが基本ですが、忙しい、どうしてもやる気が出ないなどの理由で部屋がどんどんカオスになっていく勢いを止められないこともあると思います。

そうなったときのために目的の優先順位を設定しておきましょう。

これは単純に

①寝る

②風呂、身だしなみ

③仕事

④くつろぎ

など簡単にメモをしておけば大丈夫です。

　下位の目的スペースから犠牲にして上位目的はなんとか死守していき、しのいでください。

　またやる気が回復した場合は逆に上位目的のスペースから回復させていくことで生活運用上の犠牲を少なくすることが可能です。

役割を阻害するバッドステータス

部屋を運用する以上避けて通れないのが生活運営上のバッドステータスです。

　これは

・洗濯物の処理
・食べ終わった食器やスペースの処理
・ゴミ出し当日までのスタンバイ状態のゴミ

などが該当します。

　これらは運用設計の段階であらかじめ配置を決めておき、空間は都度確保するのではなく使っていないときもホールドしておくという対策が最も運用上のリスクが少なく効果的です。

　例えば、よくある最悪のケースが

段ボールのゴミが
段ボールゴミ回収の当日まで
動線上に配置されている

というものです。

　これは動線の徹底死守という最優先の課題がすでに達成できていない上に、動線が破綻すると住居空間を活用していく上での効率や優先順位という考え方も一層失われ、スペース全体が雪崩《なだれ》式に大崩壊に向かう最悪のケースです。ありふれた光景に見えるかもしれませんが、絶対に避けなければいけません。

なぜこうなってしまうのか

それは、「運用」という前提に基づいて住居空間のレイアウトをしていないからです。部屋は生活するために存在しているのに、ついかたづき具合のショールームのように考えてしまう悪癖が人類にはあります。「この瞬間に友人を自宅に招いても恥ずかしくないかどうか」という従来的な基準で考えると、生活していく上で起こる状態の変化に対してどうするかという視野が失われがちになります。

ですから、生活というものをひとまず1週間単位でイメージして運用のための余剰スペースを予め設定しておくという考え方がオススメです。なぜ1週間単位なのかというと、自治体のゴミ収集のスケジュールが1週間単位で設定されているからです。

例えば段ボールであれば、動線の壁際に段ボールストッカーなどを配置してホールディングを前提とした場面設計をしてください。通販が身近になった現代においては段ボールゴミはイレギュラーではなく日常です。同様に、ビンや缶、プラスチックゴミなどもホールディングを前提として専用のストッカーなどを配置しましょう。集合住宅の住居に専用のゴミ出しスペースがある場合、それは部屋のスペースが増えたのと同じことです。賃借先として積極的に検討してもいいでしょう。

住空間に「通常想定されていないイレギュラーな状態」が発生していると、「空間の効率化」をシンプルに考えることができなくなり、目的が複雑化しすぎて考えるだけで重労働になってしまいます。またこの事態は重ねて「本来くつろぐはずの自宅が重労働空間になってしまっている」という精神的なダルさから、無気力スパイラルが発生する最悪空間を生じさせます。こうなったら終わりですが、終わりへのトリガーは大抵の場合放置されたままになっています。そして終わりが来るので、できるだけ速やかに対処してください。

【まとめ】

結局「かたづけ」とは何を意味するのか

求められている内容の高度さ／相反して軽んじられる流動性

本来かたづけとは

「運用を視野に入れたレイアウト管理」

のことです。

しかし、一般的には

「他人に見られても恥ずかしくないとされる状態まで生活感を低下させる」

という意味合いで使われることが多く、これは他者からの視点を主体にした考え方です。

また、生活感を低下させるのと比例して運用難易度は上昇するため、その維持にも困難が伴います。そのために「かたづけ」というたったひとつの言葉が多くの苦しみ、矛盾を含み多くの人々を困惑させ苦難の渦に巻き込み続けているのです。

しかし、部屋が他人に見せられない状態であれば、喫茶店とかでお茶をすればいいだけの話です。

最も大切なのは、あなたにとってあなたの部屋が、あなたの人生においてやりたいことをよりスムーズに達成させる空間に近づくことなのです。それさえ忘れなければ、部屋を快適に保つのは難しいことではありません。あなたの部屋は、あなたのために存在しているのですから。

「良かれ」と思って大失敗

「良かれ……！」と思ってやったことが大失敗ということは人生の常であり、私自身も度々失敗の経験があります。

よくある話です。

良かれと思って唐揚げにレモンをかけてしまった……良かれと思ってハラスメント体質の彼氏と別れるように説得してしまった……良かれと思って美大受験を勧めてしまった……。

大失敗をされてしまった側からすれば、出会い頭の事故のような避け難い、どうにもならないアンラッキーな不幸ですが、やってしまった側はやってしまったことには大抵気がつかない。むしろ、何か良いことをしたというつもりでいたりして。残念ながら、思い込みが強いほうがなにかと生きやすく、想像力を張り巡らせている人は損をしがちであります。

どうしてこんなことが起きてしまうのか。

私自身も、いまだに忘れがたい強烈な「良かれ……！」の洗礼を受けたことがあります。

発達障害の治療薬を服用し始めたときのことです。

「しずはしずのままでいいんだよ」

と、真顔で言われました。それはそうでしょう。私だってそうです。

私が、あなたの立場だったら、ユニークで失敗が多くてどことなく奇妙で朗らかな友達は、さぞかし面白くて、とっても良いでしょう。ずうっと変わらずにいてほしいですし、人格も丸ごと肯定してあげたい。それは「個性」だよ、と是非とも教えて差し上げたい。クラス一丸となって〝素晴らしいで賞〟を贈呈したい。

しかし、それが自分だったらどうか。

「ご勘弁ください」

私は、このような私に大変辟易しております、迷惑をしております。私だってあなたのように無個性になり、少しでも快適に毎日を送り生活や労働をのびのびと繰り広げたいと思っているのです。私は、面白いロボットではありません。

（面白いという点は、確かにそうかもしれませんが）

これは視力矯正のために眼鏡をかけている人物に「眼鏡なんてしないほうがかわいいよ！」と言うのと大体同じです。そんなことは、本人が、一番、よく、分かっている。本人は既に選択しているのだからなにも口を出さないほうがいい。一度も視力に困ったことがないのであれば余計に。

鑑賞する立場からすれば単純な問題ですが、本人には本人の事情がある。

ただこれが、ただただただ

「**良かれ……！**」

であるということは、痛いほど伝わってくるのでそれ以上は何も申し上げることができない。気持ちは、とても、ありがたい。いや、ありがたくはない。ありがたいとは、「滅多にないことである」という意味で、それが嬉しいとは限らない。滅多にないという評価も実際かなり、盛ってはいる。

「苦労は買ってでもしろ」と言われますが、買ってする苦労なんて優雅なバカンスと大差ありません。そんなものは貴族の遊びであって、買ってした苦労と出会い頭の事故のような苦労の間には、将棋を指しているのと実際に戦場で地雷原を駆け抜けるくらいの違いがあります。

「買ってでもしたほうがいい苦労」は、それが無料であるならばむしろしないほうがいいのです。

このようにして、この世には「ハズレの苦労」が随分と幅を利かせております。ここで改めて「良かれ……！」に潜む問題を洗い出してみます。

(1)環境に依存する価値観における、主観的あるいは政治的判断の適応

(唐揚げにはあらかじめレモンがかけてあるほうがいい)

＝本来ケースバイケースであって、正解がない。環境によって変わるし同じ人物でも時と場合によっては違う判断になるというグラデーションの排除。

⑵自己判断の一般化

（一般的にそうであると考えられるので実際にレモンをかけよう）

＝自己判断が場の総意として取り扱われる共同体意識の発露。

つまりはここで「時と場合による」という一般化されることのない「個」が排除されてしまっているのですが、それらの根本原因は全て

「本人の意思決定権の剥奪」

という問題に帰結します。

言ってしまえば、「いい」かどうかは本人が決める。それだけのことなのですが、とても難しい。

なぜなら「正常な判断基準を有した成人」という一般認識には極めて政治的なガイドラインがあるからです。

実際の間接民主政治がそうであるように、結局のところは誰の意見でもない最大公約数を場の総意として取り扱う決定があまりにも自然裏に発生する。しかし公共の利益という側面でそれは間違っていないのです。

ここで我々が改めて意識しなければならないのが「公的」と「私的」という概念です。

飲み会でシェアされる唐揚げのレモンは「公的」な立ち位置なので、賛否両論はあれど最大公約数的な形で公

の利益を優先する発想には何の問題もありません。

一方で「私的」なものとしての判断。これは絶対に侵害してはいけない領域です。

何をもって良いとするかは自明に本人にしか判断ができないからです。

しかしながらここで、問題を複雑にしているのが先ほども申し上げた

「正常な判断基準を有した成人」というガイドラインであって……

そもそも人間というものは、根本的に全面的に、発生した瞬間から完全にトチ狂っている。全ては異常事態であって、大いに気が狂っていただくことが人間としての代え難い至上命題であって。

真実は合理を根本から否定し、ありとあらゆる常識に異を唱え、一晩寝かせたシチューを丸ごと2階から投げ捨て街中の犬という犬全てを解き放ち、裸体でデパ地下を走り回り牛乳5リットルを職人の地下足袋に注ぎ込み、全世界の人間の苗字を一人残らず「クリスタル」に改名し、前世がゴリラであると自認する権利を認めさせるために文部科学省を告訴し、自衛隊をラッキー発見隊に再編制し、日がな一日国力を総動員して四つ葉のクローバーの捜索に国家の威信を懸ける。それが誰かの心臓から抉《えぐ》り出した真実そのものであったとしても、しかしながらすべての共同体は人間命題としての「狂い」を阻害する。

それは家庭でも会社でも国家でも部活でも町内会でも漫画研究会でも同じです。

だから我々は一つだけ忘れてはいけないことがあるのです。

『それは、人による』

目の前で泥棒をする人を見て気がついたこと

【考えすぎる人へ】

考えすぎている人はおそらく優しいのです。自分のやったことが人にどう影響を及ぼすのか、そうなった場合どうすればいいのか、普段から細かいところまで考えすぎているからです。その結果変なくろうや損をしていることも多いかもしれません。なぜなら、考えすぎな人向けでない場がこの世には多いからです。

私としては何も考えていないより考えすぎているほうが面白いし人生に複雑な味わいがあっていいんじゃないかと思うのですが、考えすぎている人は場の空気によっては攻撃的な人から攻撃の対象に選ばれて疲れてしまうことがあります。これは特に学生や企業に就労している人に多いです。

それはなぜか。またどうすれば攻撃が収まるのか。大学生のときに実体験から編み出した

どうして攻撃が始まるのか、またどうすれば攻撃を抑えられるのか

についての私なりのガイドラインがあるので記しておこうと思います。

【そもそも、なぜ攻撃が始まるのか】

私が大学生のときに体験した驚きの実例があるので紹介します。

私は大学生時代に文化系のサークルに入っていました。大学2年次までは比較的熱心に活動をしていたのですが、3年になった頃に新入部員がたくさん入ってきてからサークルの雰囲気が一

変しました。なぜそうなったのか、すぐには理解できませんでした。が、しばらくして決定的な事態が発生しました。

公演に向けて、設営をしていたときのことです。

私はコーヒー飲料のようなパック飲料を学内の売店で買って、作業台の上に置いたまま作業をしていました。そのまま3時間ほど作業に集中していたのでパック飲料は作業台の上に置いたまま未開封だったのですが、なんと同じサークルに所属している方が近づいてきて私の目の前でパック飲料を開封してその場で飲み出したのです。私は驚愕の表情で飲んでいる人の顔を見たのですが、彼女は飲料をその場で全て飲み干し、ゴミを作業台の上に置いて立ち去ってしまいました。

これには驚きました。ズバリ泥棒だからです。

(ビックリしましたが、ゴミは私が捨てました)

こんなことって、あるのでしょうか。泥棒の相場としては、持ち主や店員がいないところでこっそりと持ち去る手法がスタンダードです。本人がいるところで泥棒をした場合、通報されたり告訴されたり、そこまでいかなくても弁償の責任や名誉の失墜など、当然のデメリットが発生するからです。

ところがこの場合、あまりにも白昼堂々泥棒行為(時効)が発生したために、ビックリして私は何もリアクションができませんでした。どうしてこんなことをするのか。というより、できてしまうのか。

たとえ泥棒相手から何も言われなかったとしても、少なくとも私に対しては「泥棒行為を実行する人間である」という事実が露呈するというデメリットがあります。そういった実態を周囲の人間に周知されるデメリットもあります。そうなった場合恥ずかしいと思いますし、最悪大学生活を継続できなくなるほどの風評的なダメージが発生する恐れすらあります。あまりにやっていることが非常識だからです。

それによって得られる利益が1000万円くらいあるのならばまだ理解の余地はないでもありませんが、この場合市場価格で198円くらいの利益しか得られていません。ここまでくると、泥棒行為が目の前で発生したショックよりも、どうしてここまでデメリットの多い行動が平気で取れてしまうのか。そういった心理状態のほうに興味が湧いてしまいました。自分の常識からすると違法行為なのにほとんどメリットがなく、あり得ない発想だからです。

勘違いという可能性もありますが、驚いてコーヒー飲料を飲んでいる当人の顔をしげしげと見てしまいそのまま目が合った状態でも泥棒行為は継続して行われ、また無言で立ち去ったため、その可能性は低いと思われました。

【直接聞いてみた】

ここまで意図が不明瞭だと、どれだけ考えたところでなぜこんな事態になったのか理解できるわけがありません。私としては、泥棒の方に対する不満や怒りよりも興味・好奇心のほうがずっと大きくなっていたので、こうなったら直接本人に聞いてしまおうと考え直接聞いてみました。回りくどい話はどうでもいいと思ったので、かなり単刀直入にいわゆるａｓｋを試みました。

「設営のときに私のコーヒー飲料を無断で飲んだと思うのですが、それはなぜですか」

すると、当人はしばらく怪《け》訝《げん》な顔で何か思い出すような態度を示し、数秒後にこう返しました。

「ああ、アレ。置いてあるから。飲まないかと思って」

彼女はそれだけ発言

をすると、その場から立ち去りました。
　私は二度ビックリして、しばしその場に立ち尽くしてしまいました。

【特に、理由がない】

　市場価格にして198円程度のコーヒー飲料とはいえ、本人に無断で拝借したのですから窃盗は窃盗です。むしろ、店頭などで物品を持ち去る窃盗よりも、持ち主が購入している分飲みたいという意図を阻害するわけで悪質度はより高いと言えます。何かよっぽどのドラマチックな想像もつかない理由があるのではと期待していた私は大いなる肩透かしを食らいました。

特に理由がなかったからです。

　となると考え方を大きく転換する必要があります。つまり、大きなデメリットを上回るほど特別なメリットが発生していたのではなく、そもそも

デメリットが発生していなかった

ということです。

【なぜデメリットが発生していなかったのか】

　窃盗は窃盗ですが、この場合198円のパック飲料なので告訴や通報などの可能性は低く、

悪評の発生や心象の低下が主なデメリット

だと思われます。これが「ない」とはどういうことなのか。その事件以来、私は一見デメリットが多い行動（具体的に得られるものが些少である割に評判の低下などの大きな損失を発生させる可能性が高い行為）をしている人物を注視・観察することにしました。結果として一つ、見えてきた特徴がありました。それは、

誰に対しても同じ行為をするわけではない

という点です。
　そんなの当たり前だと思われた方もいらっしゃるかもしれませんが、当時の私

は人間の心理に鈍感だったので「これは大発見だ！」と考え興奮しました。そこで、どういう相手に対して一見デメリットが多い行動をとり続けるのか、

つまりは、
そもそもどのような相手に対してデメリットを感じないのか

という点について注視することにしました。

結果、

攻撃性のない人、おとなしい人を相手に選んでいることが分かりました。

また当たり前だろ！　と思われるかもしれませんが、重要なのは泥棒をしている人は、泥棒をしている意識がそこまでないという点です。つまり、程度の差はあれ

人間は、自分に対して危害を加えてこないと判断した相手に対しては、極端に想像力が低下する

ということです。

これは、何も泥棒をしている人だけではなく自分自身もそうである可能性が高いです。つまり、筋骨隆々としたボディーガードのような人物に「１００円貸してください」と言われた場合と、子供に「１００円貸してください」と言われた場合では、そこで貸すことを希望されている「１００円」の向こう側に広がる想像力には大きな差が出てくるからです。

泥棒のほうも、反応や発言などを考慮すると実際に泥棒をしているつもりは全くなく、むしろ市場価格で１９８円程度のものがいいところに置いてあってラッキーと思っていた可能性が高いです。

（その後ゴミを捨てなかったのは単純にモラルの問題だと思いますが）

【傾向と対策】

このように「攻撃される可能性が低い相手からの想像力が極端に

低下する」という人間の性質を踏まえると、冒頭の信じがたい事例にも一定の納得感が生じます。確かに私自身は非常に筋力が弱く、また意外かもしれませんが目の前にいる人間に対しては最大限優しくしたいので攻撃的に接することはほぼないからです。

しかし、人間の特性を考慮すると今後優しさ一本でやっていく訳にもいきません。まだどこかノホホンとした学生の世界だから市場価格にして198円程度のパック飲料泥棒で済みましたが、生き馬の目を抜く人間社会に進出した場合にこの問題を対策しておかなければ大変な目にあうことが目に見えているからです。

まさに、見えている地雷。とはいえ他人を攻撃することはしたくありません。なるべく平和裏に物事を解決するため方策を練りました。

【オシャレ・身だしなみ】

意外かもしれませんが、大学生のときの私は学生なので最大限効率的に活動したいと考えて、学校に行く際はほぼ身だしなみやオシャレにコストを投じていませんでした。そんなことよりも内容に集中したかったからです。しかし、これは攻撃を避ける意味ではよくありません。なぜなら、身だしなみをしっかり整えている人というのは、つまり自分自身にコストをかけ丁寧に扱っているということであって、他人が雑に扱った場合に非難される恐れが高く、想像力が増す余地があるからです。オシャレや身だしなみはいくらやっても他人を傷つけませんし、攻撃を避ける以外にも色々なメリットが発生するので、考えない人からの遠慮ない攻撃に迷惑している方にはまず取り掛かっていただきたい項目です。

これについては、あえて好きでもない流行に合わせる必要はなく、むしろ自分のテンションが最も上がり、楽しくリラックスできる方向性のオシャレが最良です。なぜなら、好きでもない流行に無理に合わせている態度はバレますし、その場合社会に対して自分を犠牲にしてまで合わせているという判定になり「想像させる力」はむしろ低下するからです。

【謎のバックグラウンド】

全てに予想がついてしまう相手よりも、なんだかよく分からない、理解しきれない一面を持っている人物のほうが安心できないので色々と考えてしまうものと思われます。したがって、油断できない場所（職場など関わる人間を自発的にコントロールできない場所）では何もかもをさらけ出さないのがコツです。音楽や映画の趣味などを聞かれたときも、特に自分の内面を伝えたいと思わない場合はダミーで構わないので意外すぎるものを回答しましょう。例えば、好きな音楽を聞かれたら

「ジョン・コルトレーンのレコードを、毎週日曜日にかけています」

など、なんかよく分からなそうなことを適当に回答しておけばよいでしょう。

実は私もそうですがわざわざ嘘をつくのは心苦しいという人は、自分の好きなものの中で意外そうなものを答えたり「色々聞きますけどね」と曖昧に秘匿し、なんだかよく分からない人だと思っていただくのもいいかもしれません。「親戚が歌舞伎役者」など真偽が曖昧な噂を流しておくのも有効です。（これはやりすぎだし面白すぎますが）

【意思のスパイス】

生活シーンでは意思を分かりやすく全面的に主張するよりも、さりげなく配置されているほうがむしろ意思が強いように感じられるものです。本気のムードが醸し出されるからです。色々考えるのが面倒な方は、職場のデスクにポケット六法を1冊差し込んでおきましょう。真面目な印象なので怒られることもないですし、質問をされても「興味があってちょっと勉強してるんですよね」と

答えればいいからです。通常、人は六法をリアルタイムで勉強している人物の私物を盗んだりしづらいものと思われます。

【面白すぎない】

非常に残念ながら「面白すぎない」という点も重要です。大学時の私は主に、面白すぎる点がネックだったのだと思われます。なぜならば、面白い相手には親しみが湧いたり気さくな印象を持ってくれる人が多く基本的には嬉しいことが多い反面、何も考えていない人に気さくな印象を抱かれた場合は厄介なことになる可能性が高いからです。このために日頃面白さを隠蔽して日常生活を送っている人もたくさんいると思われるので本当に残念な話です。面白すぎる方は、デンジャラスな側面も同時にピーアールしていきましょう。

【ところで】

私は、考えすぎる人が好きです。

そのほうが絶対にこの世が面白くなると思うからです。これを読んでいる人が、「自分は考えすぎるから損をしてしまったなあ」と感じずに、少しでも快適に毎日面白く過ごせるといいなと思っています。

「怒ってるでしょ」は全部ハッタリ

昨今いわゆる「トーンポリシング」が話題になっているシーンを目にすることがあります。

トーンポリシングとは、

主張している内容そのものではなく、主張する態度に問題があることを指摘して内容を聞こうとしない威圧的な対話姿勢

を取り扱った語です。

- 話を聞く前にまずは態度が気に入らない
- 話を聞いてほしかったら、まずは態度を改めなさい

こういった態度に潜む

ともすれば既得権益への阻害と考えられる意見を無自覚に矮小《わいしょう》化することで限りなくノーコストで差別の再生産や強化を図っているのではないか

という政治的態度について問題提起をする言葉です。

最近の事例で印象に残っていたのが、ラッパーのZeebraさんが（女性）ラッパーの椿さんのセクハラ問題言及について「そんなに怒んなくても良くない……？」という発言をした例がいろんな意味で直球だな……と感じて印象的でした。

トーンポリシングにおいて

「何をそんなに怒っているの？」

といった、これに類

するフレーズが決定的にひとつのキーワードになっていると言えます。

一般によく言われる論調は、

「怒るのは当然だ（だから対話をするべきである）」

というものです。

そうですよね。それもそうだと思います。ただ上記の論調に対しては私は根本的に疑問があります。

それは

「怒っている」という指摘が前提として当たり前のように受け入れられているけど、果たして本当に「怒っている」のかというものです。

なんだか、自分からすると「怒っている」とは思えないのでずっと違和感がありました。

【本当に怒っているのか】

私自身も実際に（上記のような文脈で）「何でそんなに怒ってるんですか？」と言われた経験があります。

これは自分の体験を踏まえた経験則ですから一般に当てはまるか分かりませんが、これを前述のような文脈で言われるのは

「立場や考え方、価値観の違う相手に対して自分の目線で捉えた違和感を（価値観の違う人にも伝わるよう自分なりにできるだけ親切に）**説明しているとき」**

です。ほぼコレ。コレオンリーと言って差し支えない。

私の例では、

一緒にグループワークをしていた方が作成した資料が内包する偏った価値観を指摘した際に、相手の方に

「なぜあなたがそこまでキレているのか分からないのですが、私としてはこのような考え方を持って取り組んでいます」

といった内容のことを言われて

「少々感情的になってしまいすみませ

ん。ただ私としては……」

と返答をしたことがあります。

これは、「キレている」ともう前提のような感じで言われると、とりあえずはその前提を一旦受け入れないと話が先に進まないし、まあ別に怒っていると思われるかどうかはこの場面においては正直かなりどうでもいいのでとりあえず「怒っている」ことにして少なくとも話を先に進めようとしているのですが

実際、なんだろう。

損。

怒ってないですね。やはり。

そりゃあ、

坂道を下っている人がいて、反対側からその坂道を登ってきている人がいて、坂道の中間でばったり出会ったとします。景色は隠れていて、お互いの足元は見えません。そうしたら下っているほうの人は

「何でそんなに大変そうな感じなんですか？」

と思うかもしれませんが、それは単に坂を登っているから大変そうなだけであって。「感じ」を出すことに重きを置いているとかではない。

今回のケースにおいても、そもそも私自身は

なるべく伝わるように、伝わってほしいという気持ちを込めてなるべく自分なりに考えたことを自分なりに詳細に言語化しているだけで、怒っていたらそうはなりません。

むしろ相手のこと、考え方や立場をイメージして想像しているから説明ができるのであってどちらかというとかなり親切な行為をしていると

思います。

・そもそも

かなり根本的な話になってしまうのですが、誰がどう見ても「怒っている」ことが明白であった場合

「何を怒ってるの？」

とは聞かないと思います。明らかにそんな悠長なことを確認している場合ではない。

空気を読むとかいう習慣が全くないというか、全方位バカ正直に生きる能力しかない私ですら、流石にめちゃくちゃキレている人に

「何を怒っていますか？」

と聞いたら火に油をそそぐ何もよくない結果になるのは予想がつきます。

ですから、改めて言うまでもありませんがその話法は「怒っているのかどうか」と質問をしている訳ではありません。

（当たり前）

じゃあ何を伝えようとしているのか

この場合ポイントになってくるのは

「怒っていますか？」ではなく

「なんで（何を）そんなに怒っているのですか」

と形式上は「怒っている」ことを前提にした上で、その感情が何に起因しているのか質問をしている、質問した上で間接的に疑問を投げかけている点です。

もっと直接的な言語に翻訳すると

「あなたのその怒りの感情は不可解で、不条理な本来怒るべきでない事象に端を発したものであり、それは私にとって納得しがたい不服なものである」

という意思を暗示的に表明しているのです。

ここに複数の意図的なミスリードが含まれるのですが、ややこしいので改めて整理してみます。

(I)意見を表明した側が怒っているという前提に結びつける半ば意図的な曲解

(II)その怒りの内容は条理に沿わない理不尽なものであるという指摘

実際に

「何を怒ってるんですか?」

と言われた場合に対応に困るのは(I)の曲解部分なのですが、(II)の指摘についてはすでに対話を成立させるための前提として織り込まれているために(対話上は)反証するのが困難です。そのためには(II)に焦点を合わせ意見を交えることになるのですが、だからといって実際に「怒っている」という訳ではない。

なぜなら、自分にとって当然と考えられる意見を表明しているだけのことであり、それは相互理解の姿勢を背景にしているからです。

怒るっていうのはもっと対話の要素を放棄した状態を指すのではないでしょうか。

環境活動家のグレタさんが環境問題に対する意見を表明した際に、各界の人物が「態度が気にくわない」と発言し大きな話題になったのですが、この件については

トーンポリシングをされている側が実際にリアルにめちゃくちゃ分かりやすくブチギレている

という今までにない新機軸の感じがあり、むしろ自分としては爽快感すら覚えました。

そうですよね。グレタさんはめちゃくちゃキレてました!

(ブチ切れながら親切な説明をするという人類であまり類を見ないユニークなスタイル)

だからといって態度を指摘するのはこの上なく大人げないことに変わりはないのですが、実際にマジでキレているからこそ話の内容ではなく態度を指摘する行為の愚かしさ、大人げなさがリ

「怒ってるでしょ」は全部ハッタリ

アルにコレでもかというほどシンプルに見えてきたのが自分にとってはむしろ痛快ですらありました。

●要するに何が言いたいのか

かつてモノマネ芸人長州小力さんの

「キレてないですよ」

というギャグがブームになったことを覚えている方もいらっしゃると思います。

このギャグは、長州力という有名なプロレスラーのモノマネをする方が

「本来強くたくましいはずの男性がパロディ的に怒っていないことを周囲にPRすることで強者のポジションから乖離して見える様の諧謔味」

を表現したギャグです。

（実際に長州力さんは格下とされる相手との試合後に記者から「キレたんですか？」という質問をしつこくされて上記の返答をしたそうです）*

*モノマネ芸なので大幅に誇張されていることが考えられます。

つまり

「何を怒っているのか」

という投げかけに対して怒っていないことを表明しても（そのような投げかけをする人物からしたら）ダサい（カリカチュアの対象になりうる）行為とみなされてしまいますし、内容に対して言及してもその時点で前提のミスリードを消極的に肯定してしまう結果となり、これらのどちらでもない極めて複雑かつ柔軟な対応力が求められるということになります。

じゃあどうしたらいいのか

この場合の目的は、ミスリードに含まれる意図を掻い潜りながらも、対話の形式を維持した上で自身の発言の意図を伝えていくことです。

そんなことができるのか。

難しいですが、対応方法がないわけではありませんからケース別に解説します。

(I) 第三者がいる場合

第三者に対して「**あなたはどう思いますか?**」と質問を投げかける。

第三者の意見を踏まえながら、「怒っている」という指摘に対して否定も肯定もしない（否定は肯定の裏返しと捉えられてしまうので意味がないため）。

第三者の意見を検討しつつ直接的には言及をしないスタイルをとりながら「これは怒っているわけではない」という場の合意形成を目的とし、合意形成後に改めて意見の内容について言及する。

(II) 第三者がいない状況で対話している場合

シンプルな対応ですが、発言者に対して

「**どうしてあなたは怒っているように感じられたのですか?**」

と発言の意図を問う形で否定も肯定もせずに前提への疑問を提示する。

そこから対話内容への言及へと発展させる。

という方法が考えられます。

しかし、第三者がいる状況ではまだしも、マンツーマンで対話しているときに相手の感じ方に言及するのはかなり大変なやり方です。（強い反発感情を招き、何らかの形で攻撃的な態度を取られてしまうリスクを伴うため）

なのでここで対応できないと何らかのデメリットがあったり辛い（これも十分にデメリットですよね）とかでなければ、

「うわー」

とか適当に無難なレベルで引いて帰宅で大丈夫だと思います。

おつかれさまでした。

「怒ってるでしょ」は全部ハッタリ

人生に絶対的な安心がな
いから脳は常に完璧な命
を希求するしそれは「死」の
ことである。だから生きよ
うとするあまりに絶命に

『自己肯定感』という言葉の用いられ方が、なぜこうも歪《いびつ》なのか

昨今雑誌をめくると自己肯定感を高める方法について様々な特集が組まれていますが、果たして「自己肯定感がある」とは、一体どういった状態を指し示しているのでしょうか。具体的にどういうことなのか分からないまま、なにかこれを高めなければいけないといった風潮に困惑している方も多いでしょう。私自身も意味が分かりませんが、「自己肯定感を持ちたい」という質問をよくいただきます。何と言えばいいのか、回答が難しいです。難しい原因は主に三つあります。

(1) 自己肯定「感」とは

例えば、自分が知らないだけで「ぬるめの水風呂肯定感」や「ＪＲ山手線肯定感」なども存在するのかもしれない。可能性は無限大だが、だからどうした感も無限大である。

人生に絶対的な安心がないから脳は常に完璧な命を希求するしそれは「死」のことである。だから生きようとするあまりに絶命に至る神経は点滅

至る神経は点滅を繰り返し、結果としてグラグラの積み木の頂点に仕上げの三角だけ載せようとする行為が蔓延する。

(2) 持ちたい

なるほど。という感じ。持ちたいんだ、そうか。という。それ以上の意見が発生しない。

(3) この問いに丁寧に回答したところで

質問者はすぐに質問をしたことも、返答を読んだことも忘れてしまいそう。具体的にはトイレに行って用を足したら忘れそう。

なぜすぐに忘れそうなのかといえば、質問の切り口が他人事だからです。決してそれが常に悪いことではないのですが、「ハワイ行きたい」と言っている人が、現実的に来月オアフ島行きのチケットを買うとは考えられません。あるいは「なんかペット飼いたい」と言っている人も同じようなニュアンスです。自分のこととして直視しなくてもいいが、手元にあればちょっといつもより素敵な日常を送れるかもしれないなにか素敵なサムシング、そういうものが欲しいという態度の表れなのです。このような態度は、一人の消費者としては賢明ですが、自分自身の人生のプロデューサーとしてはなんだか大丈夫ではなさそうな感じがあります。本人も大丈夫ではなさそうな気配を感じ取っているからこそこのような質問をしているのだと思うのですが、具体的には何をゲットすれば大丈夫なのでしょうか。自己肯定感とは。

「自己肯定感」という言葉は、学術的にも用いられますが、あまりに多くの定義が提唱されているために、「あらゆる肯定的な心理的要素を表現する包括的名称」として用いられているのが現状のようです。つまり、ものすごく曖昧に自分を肯定的に捉える感情全般を指している、ということになります。確かに自己肯定感という言葉の使われ方を見るに、そうだとしか言えません。言い換えるとしたら、せいぜい「存在してOK！感」くらいの感じでしょうか。

確かに「存在してOK！感」があればないよりはマシかもしれませんが、そもそもこんなに曖昧なものに対する取り組みが熱心に行われすぎている現状が不条理に感じられます。

「存在してOK！」の根拠

なぜ人々が熱心に自己肯定感を追い求めるのかと言えば、自己肯定感が満たされている人間が一般的に正常であって、自己肯定感が欠如している人間は、なにかしら問題を抱えた（病んだ）状態であるかのように考えられているからです。

それでは最も自己肯定感を得やすい状態の人物とはどのような状態なのでしょうか。それは当然社会的に「正しい」とされやすい状態の人物のことです。つまり、多数派であり、理想的である要素が多ければ多いほど、簡単に何の苦もなく「存在してOK！」感を得られるということです。それは以下のような人物となるでしょう。

- 成人
- 男性
- 大卒
- 高学歴
- 給与所得を得る正社員
- 高収入
- 健康
- 婚姻をしている
- 身体能力が高い
- 外国語が堪能
- 都市部在住
- 一般に「スタイルが良い」とされる体型、身長
- いかなる障害の条件にも該当しない

人生に絶対的な安心がないから脳は常に完璧な命を希求するしそれは「死」のことである。だから生きようとするあまりに絶命に至る神経は点滅

なんだかお見合いサイトの登録ページのようになってしまいましたが、上記の特徴を多く持っている人物ほど容易に「自己肯定感」を得やすい筈です。得やすいというか、上記の条件を多く満たす人物であれば、複雑なことを考える以前に現実的に自分が「存在してOK！」な感じを当然裏に得ているのでそもそも「自己肯定感」などというワードが脳裏を過ぎることとすらないでしょう。そんなものは存在して当たり前、むしろない状態というのが想像もつかないからです。

私が現実的に生きて見た中で、最も「自己肯定感」を当然のものだと考え「存在してOK！」という態度を発揮していたのは、中学受験をする男子小学生です。彼らは素晴らしい家柄の家族の期待を背負う立場として出生し、幸いなことに成績も小学校の中では良く、今後エリートになるのだという確固たる自信を胸に主に母親からの万全のサポートを受けているので心が万全の状態になっています。万全、というか、母親に全肯定されているから自信満々なだけで実力が女子に比べ過度にあるということもないのですが、「存在してOK！感」を通り越して「生まれたときからエンペラー感」を全身から湯気のように立ち上らせておりました。これは決して過大な表現ではありません。

「感」では立ち向かえない

受験は実力勝負とはいえ、やはりメンタルにも大きく左右される以上は、どうしてもエンペラーのような人物が有利である点は否めません。かといって、実力勝負なのは事実なのでこちらはとにかく勉強をするしかありません。この際「感」は度外視して成績で目にものを見せていくしかないのです。なぜなら、

自己肯定感の勝負では、そもそも圧倒的に不利だから。

不利な盤上で立ち向かおうとしても仕方がありません。現実を考えると、できる範囲で補っていくしかないのです。中学受験に「エンペラー性」というテストがないだけでも御の字と言えるでしょう。残念ながら、現実にも似たような側面があります。環境に社会に、「多数派」、「理想的」、「正しい」と認められづらい立場の人物は、それだけで色々なものが同時に全て、何もかもグラグラになります。

その頂点に「存在してOK！」の感じだけを載せようとしても土台無理がある。

そもそも「自己肯定感」を持たせようとしてくる側は信用できない

「気持ちの問題だから」と言われても、気持ちの問題って言わばそれが全てだから、それで何か問題がかたづいたかのように言われたところで困ります。「自己肯定感」とやらを持たせようとしてくる側は、なにかこのように全てを気持ちの問題に紐づけてこちらの気の持ちようでなんとかやりくりしてくださいね、と言っているように感じます。それは一見親切そうでありながら極めて冷酷で非情な態度です。真に受ける必要はありません。無視して目の前のことに手をつけて、少しでも自分をマシにしたほうがよっぽど得です。穴の空いたバケツにバカスカ水を注ぎ込むより、バケツを修理したほうが話が早い。大体、バカスカ水を注ぐように勧めてくる側も金儲けのために人の弱点をいかにも親切そうな雰囲気で指摘してきているだけなので相手にするだけ損です。

確かにこの世は最悪ですが、生まれた瞬間に自分にはどうにもならない理由でぶち殺されなかっただけでもマ

人生に絶対的な安心がないから脳は常に完璧な命を希求するしそれは「死」のことである。だから生きようとするあまりに絶命に至る神経は点滅

シです。自分がマシになるのが一番話が早い、これしかありません。マシになりたいという動機は、必ず人の心に存在の動機を与えてくれます。市場に流通している商品としての「肯定感」ではありませんから、金を支払い続ける必要もありません。最高ですね。

　平凡さを受け入れるのは、実はすばらしいことなのだとグルメは教えてくれた。

　グルメは猫である。何のへんてつもない、平凡なねこである。グルメは常にムスっとしている。本人にとってはムスっとしているつもりなんかさらさらないんだろう。ただ、ごきげんよくニッコリしているだけの理由がないから、何となくムスっとしている。

　グルメは損得にうとい。エサをなるべく多く食べようとかいう発想もないし、知らない人が近寄るとピューと逃げてなにもなくなるまですみのほうで息をひそめている。

　グルメは、食べ物に例えると、しおこぶを少しだけのっけたおかゆという感じだ。品種改良をされた、ケーキ屋のガラスケースの中で輝いているチーズオランジュのような猫とは、まるで逆の存在である。それでも私は、はじめてグルメを見たときからその存在にクギヅケになり大好きになってしまった。グルメに得をしようとかいう考えはさらさらないけど、結局グルメは人間が好きなので、人間をいつも見ていたい。人間はグルメの思い通りにはならないのでなるべくよく見えるところでよく監視をしていたいという思いがある。

　グルメはいつもフワフワだが、高級な感じではない。

（なし）

使い古しの毛布のようなやさしくて貧しい感じにフワフワしている。こんなところにまで値段（0円）の感じが実直に表れるなんて、無念だ。グルメの側も、高級な布とかにはまるで興味がない。ボロボロになったパジャマを着ているると、大よろこびで一目散に包まれに来る。ふだんは米みたいなねこだが、そういうときだけパンみたいになる。パンといっても焼きあがったパンではなくて、発酵させている途中のパンだねみたいな感じ。そのままグーグー音を立てはじめて、体温が上がるので、あいそはないが人間が好きなんだなあと分かる。猫は自由気ままと言われるけど、人間のことが好きなヤツが多いと思う。見下されるのが好きでないだけで。

グルメはそんな必要はないから「ニャー」とかは言わない。よくて「んー?」とかの感じだ。

暖かくて人間がいて、エサがある程度食べられたらそれでOK。志が低い。おもちゃで遊ぶのも下手である。毎度失敗するのに、サッカーうまい感じを出す小学生みたいな感じを出すし、失敗をごまかすときに毎回舌をペロリと出すしぐさを、もうこちらにバレているのに毎回やる。いまはグルメと一緒に暮らしていないけど、まんじゅうとかを目線の高さで見ると、すぐにグルメのことを思い出してしまう。なんのへんてつもない、グルメの頭の後ろの形を。

グルメのいいところは全部だ。

だんごのいいところは全部みたいな感じに似ている。

グルメは猫なので、自分よりはずっと早く死んでしまう可能性が高いけど、一生幸せでいてほしい。悲しくてつらいことの一切から一番遠くにいてほしい。人間もそうだけど、分かりやすい価値なんかひとつもなくていいんだ。当たり前なのに忘れている。なんでだろうか。
グルメのことを思い出していると、そのことがすごくよくわかる。グルメは多分優しいんだと思う。話したことがないから分からないけど、グルメを見ているとそういうことがわかるから優しいんだと思う。人に優しくしたい。

（なし）

3

演《えん》繹《えき》

かれ続けている。

わたしたち、全て速度の違う川の流れの時間を生きているから。今、この瞬間成立している時空間は、次の瞬間には跡形もなく、遠い地平に置き去りにされているのだから。残像を見逃すな。全ては現れた瞬間に消えていく。未来の人間はその殆どが、既に跡形もなく消え去った後の地平からの、演繹の結果として今ここに現れている。我々も同じである。


知覚可能な現象が、より個人の真実に肉薄し迫り来る限り我々は、一瞬の瞬きの中に全ての誠意を込めて、次のフレームでは何もかもが消え去るように地平の向こうに現れて。何度もそうして瞬いて

残像として意志として

今ここに現れ続けるしかない。あなたに会いたい。

人は引かれ合うという事実だけが、今この瞬間あなたと私の時空間をつなぎとめている。

残像として意志として

複雑な話ではありません。

真上から見たときに正円で、真横から見たときに二等辺三角形である立体は、傾けると円錐として認識できるように、ものごとの見方には裏表があるのではなく、視点と解釈が常にあるだけで、それは世界そのものであります。

《あなたはあなたの世界を好きなように規定することができる》

夢は叶うよ。本当だよ。

暗闇の中でそれが唯一の光であるように、
夢は実現の限りを尽くす。

カゲロウに走光性があるように、ニンゲンもただ光へとひた走る。
破滅の対岸でしか燃え尽きることがない生命の容態がある。

この立ち現れを阻害する人間のほうが、ここにはいられない。
速度を共有することができない。
関係は相対性の中にしか現れようがないのだから。

心を強靭に持て。

人は死の淵で関係の網の目から断裂するのではなく常に引き裂

【提言】テディ・江角マキコ（概念）はドーナツである

ミスタードーナツが好きだった。

1990年代初頭のミスタードーナツは、ミスドという略称が似合わなかった。長いけどミスタードーナツと呼んだ。ドーナッツじゃなくてドーナツなんだという発見は、誰に言うこともなかった。

店内にはなんだか見たことがない感じのイラストレーションのポスターがあって、ポイントを貯めると貰えるオサムグッズは普遍的なのにカッコよくてほとんど何にも知らない田舎の子供からしてもそういうのがレイアウトされている空間っていうのは精神的に豊かな感じがした。ポン・デ・リングはなかった。大型ショッピングモールに併設された持ち帰りが主体の店舗ではなくて広くて2階もあって、デザートなのかご飯なのか分からない感じの飲茶や見るだけでディズニー行った気になれるチュロスが食べられる店舗が好きだった。だいたい、メロンソーダとオールドファッションとなんだかよく分からない飲茶を注文した。ミスタードーナツのメロンソーダは幼児には片手で持ちきれない程大きな六角形のグラスで提供された。初めてのときはそれがなんだか分からずに一番嫌いではない要素の集合体として注文をしたので、ひときわ濃い色のメロンソーダが分厚いグラス越しに煌々と光を放つのを見て衝撃を受けた。巨大なエメラルドにしか見えなかった。これが、お祭りの夜店で買ってもらったサイリウムよりもずっと強い光を放っている。放ち続けている。なるほど、永遠とはこれを言うのか。このエメラルドが5～6年の人生の中で最も価値の高いものだと直感した。引きずり込まれないようにするだけで精一杯でいつまでもそこにいたかった。インターネットはまだない。飲茶の食事だかおやつだかわからない曖昧さは救いがあってうれしい。

ほとんどそれ以外。ミスタードーナツのメロンソーダ以外のものに色彩を感じるということがなかった。'90年代の初頭。一面のグレー。今のところ生涯にわたって継続中の「失われた○○年」とかいう。20くらいからそれとなくカウントをやめてしまった決定的な日本敗走のスタートがその辺りで何かが欠けているということ、失望しているということ。当時の大人はもう一度バブルがくるのではないかとうっすら信じていた節がある。その失望が何らかの形で埋め合わせをされるまでの余白のつまらない無音のCMみたいな時間。そういう感じのムードだけは大人から察してはいたけど、生まれた時点で既にそうだったから生後3日目くらいにはなんだかもう遣る瀬なかった。土着風土の鬱病。寝かしつけようとして子守唄を歌ってくる大人がムカついてしょうがなかった。今思うと『自分で何とかする気はさらさら無く主体性も無いのっぺりとした失望に覆われた人間が目先の対応で歌ってくる今・ここにおける実在感が皆無の子守唄だけは絶対に許容できない』という著しい信念があった。言語が破片しかなかったから伝えられなかったが、伝えたとしても解決策がないから喋れなくて本当によかった。幼児期の私は、単に癇癪を起こしているように見えていたのでしょうか。それとももっと深刻な事態を引き起こしていたのか。母のこめかみには常に深いシワが刻まれていたような気がする。それは本当にごめんなさい。何一つ妥協ができなくて。

ドーナツが好きだ。

それも、一番特徴がないオールドファッションが好き。それは美しいから。誰にも侵されることがない実相を成しているから。実利、経済的利益というフィルターを通してようやくその外周を成す「小麦粉を高温で揚げたリング状のもの」についてをドーナツと呼び、値段を付け、販売するなどができているけど仮に値段をつけたところで、中央の空洞がドーナツの構成要素そのものであることを退けられることは決してない。

その気高さが好き。

誰にも定義できていないところが好き。

お前らは結局、欲望されることによってかろうじて資本主義社会の中に存在を許される経済動物の一部に過ぎないのだという現代における普遍的なプレッシャーを、ドーナツだけは退けている。私はドーナツへの痛烈な憧れを隠すことなくミスタードーナツでイート・インをした。

左手にこの世で最も強い輝きを放つエメラルド、右手にドーナツ。今「全て」がここにある。疑いなくそう感じた。

少し成長して小学生になった私はまた、「テディ」についてよく考えた。

「テディ」とは。

ここで言うテディとは、テディベアの〝接頭語〟としての「テディ」である。

何を意味するのか。文脈から察するにそれは、「愛されるべき」もしくは「愛されるための」という意味合いであって
すなわちテディベアとは
「愛されるために存在が成立しているところのクマ」というニュアンスを纏っており、それは社会性に去勢されたドーナツに他ならない。

つまり他者の欲望がそのまままくり抜かれた空洞、あるべき実体についてこうあろうと働きかける自我を持たないサーターアンダギー……

実際にはルーズベルト大統領（愛称テディ）が老いたクマを狙撃しなかったという逸話から生まれた記念品のようなグッズが一般化したものらしいけどそんなことはどうでもよかった。

どうでもよかったというか、やはり明らかにテディベアが一般化する過程でそれに従って「テディ」という概念もまた生じてきているし、そういった偶然によって生じた概念があまりにも自然に人間の営みに寄り添うとき、そこには何かしら人間というものを解明するための秘伝のタレがあるに違いないと考えたのだ。それで言うと「テディ」なんていうのは滅多にないむき出しの大ヒントの塊、そういう感じ。『東京フレンドパーク』の最後ダーツのコーナーで観客が「パジェロ・パジェロ」と連呼するときのなぜか「景品を獲得する」という場面設定とは裏腹に、掛け声に極端に抑揚がなく人間性が剝奪されたメカニックの型番を読み上げるゾンビの集団にな

ったような、変なことが起きている。それは世界のバグだろう。そういう脆弱性《ぜいじゃく》に注目していたら『マトリックス』みたいに世界のコードがむき出しになってくるんじゃないかという夢や希望が当時はあった。それは、社会というものに一貫した作為性はなく玉ねぎのような層の折り重なったレイヤーの集合体に過ぎないという気づきと共に失望へ変わった。しかしテディは存在より構造がむき出しになっているという意味で私の夢や希望の一端を担い続けていた。

そうして「テディ」の対立概念が何だろうかということを考えたときに「江角マキコ」という発想が生じた。

ここで言う「江角マキコ」とは、実在の元女優（現在は芸能界を引退）江角マキコではなく、概念としての「江角マキコ像」である。

当時はドラマ『ショムニ』が社会現象を引き起こすほどの大ヒットを見せ、芸能事情に詳しくない当時の私でもその意味するところを間接的に察知するものであった。

即ち、「テディ」の対立概念として

「（愛されるべきという社会規範に基づかない）自立した実体として成立する」

という意味内容を持った概念として「江角マキコ像」が存在したのだ。

（少なくとも私の内心には存在していました）

ここで改めてテディと江角マキコの対立について考えてみるとそれは意味的な対立に止まらないということに気がつく。

それは、

テディベアが
「ベア」にもかかわらず「テディ」である
というテディもベアもお互い単独では成り立ち得ない存在の仕方をしているのに対して
この「江角マキコ」
は意味的にも他の文脈に全く寄りかからない、真空状態の「江角マキコ」であるということ。
つまり
「テディ・江角マキコ」は本来あり得ない机上の空論に過ぎない
のだが、ここで看過してはならないのは、「江角マキコ」(という像)もまた市場に流通する商品であるという点。
　要するに、市場の見えざる需要によって引き起こされた

「アンテディ」

これははっきり言ってしまうとテディの亜種に過ぎない。

　それでは残念ながら社会的要請に立脚しない真のアンテディなどどこにも求められないのかというとそうではなく
　意味的な対立に大いなる可能性があるのではないか。

　つまり江角マキコは市場の要請から独立して独自にただアンテディであるという可能性。

　であれば「テディ・江角マキコ」はあり得るし、それは実体経済ではドーナツに値段をつけることはできるが決してその実相の主体をごくごく周辺的にしか移し変えることができないのと同じで誰のものでもないテディ、ドーナツとしての「テディ・江角マキコ」があり得る。

　そういった確信を得たのだった。

2020年、ミスタードーナツといえばすっかりポン・デ・リングとなってしまった。かつての最盛期と比較するとオールドファッションの凋落は著しい。ポン・デ・リングはドーナツを解体した。それは、捉えどころのないドーナツという実相に対してドーナツの最小単位と考え得るサーターアンダギー状の物体、ミスタードーナツで言えば6つのボール状のドーナツがカップに収められたD−ポップのうちの一つをリングにすることで構造の主客のなさに一つの答えを提示したのである。

ドーナツとは、一口大の焼き菓子がビーズのブレスレットのようにリング状に連なっているに過ぎない。あくまで形状は利便性を追求したものであり、たてがみがドーナツになっているライオンは、随意にドーナツとなっているリング状のたてがみを外し、味わうことができる。コントローラブルなものである……と。私はポン・デ・リングのCMを見てそういったメッセージ性を読み取りひどく絶望した。

それから、ミスタードーナツのことはミスドと呼ぶようにしている。

我々は悠長に隠れミッキーを探している場合ではない

ディズニーランドには様々なアプローチで園内を楽しみ尽くす多様なマニアがいることで知られています。少し調べただけでも

アトラクションオタク
キャラクターオタク
グッズオタク
バックヒストリーオタク
ショーパレードオタク
グリーティングオタク
ダンサーオタク
キャストオタク
隠れミッキーオタク

など。ありとあらゆる領域においてマニアックなファンが存在していることが確認できます。これも一部にすぎず、ディズニーリゾートが提供するありとあらゆるコンテンツを網羅せんとばかりの勢いで枚挙にいとまがありません。

しかし、灯台下暗しとでも言ったらいいのでしょうか。最も肝心な、そもそもディズニーランドがディズニーランドたり得る根幹を担う根本的に重大なコンテンツが驚くべき巨大な盲点として見逃されているということにお気づきですか⁉

それは
「**オーディオアニマトロニクス**」

です。えっ、聞いたことがないですか？　あり得ない。

「オーディオアニマトロニクス」とは、ディズニーのテーマパーク内で使用されているロボットの名称です。どちらかといえば、ロボット自体よりもそれらを動かす技術、演出方法などを指して使われることが多い用語です。

１９４９年にウォルト・ディズニー氏が時計仕掛けの鳥のおもちゃに興味を持ったことから開発が始まり「生きているような動き・演出」を目的として開発された独自技術だそうです。

テーマパークに演出目的で機械仕掛けの人形が配置されているということはしばしばありますが、ディズニーパークだけ表現力が群を抜いているのはこの独自技術によるものなのです。

ですが……

全然注目をされていない
なぜ⁉

偉そうに語っていますが、私はディズニーパークは東京ディズニーシーに1回行ったことがあるだけの初心者です。誰もオーディオアニマトロニクスに注目していない事態がショックでつい筆を執ってしまいました。

【何がすごいのか】

私が東京ディズニーシーに行ったのは、年間で最も利用者が少ない4月半ば、水曜日、曇天、ディズニーランドで記念イベントが開催されているという絶好の条件の日だったので、ディズニーシーの目玉アトラクションとされることが多い『タワー・オブ・テラー』ですら15分待ちでした。しかしながら、それを差し引いても『シンドバッド・ストーリーブック・ヴォヤッジ』の閑散としたムードは見るに堪えないものがありました。

ここは『としまえん』(東京都練馬区にかつて存在した遊園地。1926年に開園したが、客足が減り2020年に惜しまれつつ閉園。閑散期の平日は遊園地にもかかわらず見渡す限り人がいないような状況であった)か？　と疑う人気のなさ。従業員の暇そうな感じ。当然、並んでいる人間は全くいません。気のせいか、施設もわびしいものに感じられます。

このような状況だったので当初は全く期待をしていませんでした。アトラクションの内容は、『シンドバッドの冒険』(イスラム世界の説話、アラビアンナイトより)を着想源にしたオリジナルストーリーを元に、船の形のゴンドラに乗車し施設内に設置された機械人形によって再現されたストーリーの場面を追体験していくというオーソドックスなものです。

なるほど、閑散としている理由も分からないではありません。

原作となる映画作品がない、アトラクション用のオリジナルストーリーで、乗客が参加する要素がない観覧型のアトラクションとなれば、優先順位としては下位に置かれるのもやむなし。私も当日が「ディズニーシーが一年で最も空《す》いている一日」でなければ特に乗車することもなかったでしょう。

事前の下調べでも

「**公式の休憩所**」

などの無味乾燥なレビューが目立ちます。先行者の意見を鑑みてちょっとたのしい休憩くらいの心構えでリラックスしてなんの期待もせずゴンドラに乗車したのですが、

圧倒。脳が揺さぶられるディズニーシー最大の衝撃。

目を疑いました。着ぐるみのようなトラや人間が、熟練の技術者が演じる人形浄瑠璃かと思うほどの情感にあふれた信じられない精度の演技をしているのです。休憩をしている場合ではなかった。

川本喜八郎という人形アニメーション界の巨匠が、NHK人形劇『三国志』にてわずかな顔の傾きや首をかしげる仕草などで見るものの胸を打つ衝撃的な人形演出をしています。私はこの人形アニメーションが、恐らくは最高峰の人形による感情表現の一つだろうと考えていたのですが、同レベルの、いやそれが目の前で繰り広げられているという意味ではそれを上回る感動を味わってしまいました。繰り返しますが、これを操っているのは熟練の芸術家や表現者ではありません。全て機械。

例えばペッパーくんに代表されるようなロボットらしい情緒や味わいを帯びた動きというものがあります。

それは、「人間を模倣するロボットのぎこちない動作」と「鑑賞者が投影した人間の動き」の間にあるズレが想像力の余白を生じさせるために「見立て」つまりはメタファーとして人間らしさが描画される作用によって生じた情緒です。

しかし『シンドバッド・ストーリーブック・ヴォヤッジ』に見られる情感は、上記のものとは全く性質が異なりました。

むしろ鑑賞者の身体にアニメーションが投影される現実拡張体験というか、圧倒的なイマジネーションの滝壺に引きずり込まれてしまった感覚。同時になぜウォルト氏がすでに評価が確立されていたアニメーションではなく「オーディオアニマトロニクス」という新技術を開発してまでこんなものを実装したがったのかということもよく分かりました。

要するに、アニメーションはサイズはどうあれ四角い平らな平面上に描画される訳だから、常に四方は黒いフレームに囲われています。さらには奥行きがなく、制約の中で編み出された誇張表現や立体表現はあるものの肌感覚の現実味が得られるものではない。そこで得られる迫力は、あくまで一旦脳内で三次元的認識に置き換えた実在しないバーチャル空間に発生しているものだからです。空間の置き換えという映像鑑賞におけるお約束事を把握している観客は安心して、あるいは油断して体験できる。

これがオーディオアニマトロニクスになると、精度の高いイマジネーションが、全く空間的な置き換えの処理なしで私の首根っこを丸ごと引きずり込むような勢いで私の身体にイマジネーションを投影しにかかってくるのです。

もうね、こわい。

なぜなら、安全な仮想空間への置き換えなしにイマジネーションが発生してしまったものだから私自身の肉体の所在が曖昧になってしまったのです。没入したイマジネーションの渦中で私の身体はイマジネーションを投影するための媒体となり、通常主体と考えられていた私自身の管理下のものではなくなってしまいました。

また、イマジネーションの渦中において感じられる身体感覚は非常に身軽であり、あたかもティンカー・ベルであるかのように制約のない動作をするものでありました。

これは身体が単なる媒体になったために媒体の渦中のイマジネーションに没入している人物の身体性がほとんど精神的な性質だったためです。ここに2つの引き裂かれている身体性があります。

①イマジネーションが投影されている身体性
②イマジネーションの渦中で意識的に反応をする身体性

ここで①は実体としてはあるものの意識的には消えています。

また②は実体としては存在していないものの意識的な身体性のほとんどを占めている。

身体感覚には連続性があるために、完全①の身体感覚が消失しているわけではなく、例えば手すりを握る身体感覚の連続性の中に、幽体であるかのように曖昧に存在しているのですが、手すりをふと離した瞬間に連続性が断ち切られ、物理的な身体性が消失してしまうのではないかという錯覚にも陥りました。なまじ、わずかに物理的な身体の感覚が地続きになったままでいるために地に足のつかない不安的な感覚が誇張されているとも感じました。

以上が私がアトラクションの体験中に体感した「こわさ」の原因と思われるものですが、一方で大きな疑問が生じました。

なぜ、こんなにも日常生活の中に存在していない圧倒的な未知の体験をもたらすアトラクションが、「公式の休憩所」などといった扱いをされているのか

実際のところ、私自身もこの経験をした直後は上記の疑問点については深く考えずにいました。ディズニーパークがすごいという言説はよく耳にするのでこれもまた初体験のエンターテインメント施設による感動の一端なのかと大雑把な捉え方をしていたのです。

そのまま5～6年ほどが経過したのですが、あるとき何気なく友人にディズニーパークの人形アトラクションのクオリティー、体験レベルが常軌を逸しているのではないかと話したところ、友人も私と全く同様の疑問、即ち

なぜこんなにも圧倒的に迫力のあるコンテンツが注目されていないのか

という考えを持っていることが分かりました。

やはり、不思議に思っているのは私だけではなかったようです。

この段階で、改めてディズニーパークのマニアについて調べてみると、冒頭でも述べたようにパークのコンテンツを総ざらいするかのように詳細な分類でマニアが存在するにもかかわらず、そもそも「オーディオアニマトロニクス」というジャンル自体がさほど認知されていない、少なくとも愛好するクラスタが分かりやすくは不在

であるということが分かりました。

　また、オーディオアニマトロニクスについて関心を抱いている人も機械工学的な興味が優位であるように見られました。

　ジャンルとして存在している以上は、私がリーチしていないレイヤーに関心の強いファン層があると信じてはいますが、前述したようにアトラクションの持つ体験レベルと関心を持つ人口が全く比例していないように思われます。


我々は悠長に隠れミッキーを探している場合ではないのではないか

　そんなことより一刻も早く明示されているものを見たほうがいい。**目を皿のようにして網膜が破れる勢いで。**


　この大いなる疑問については、端的に答えが出るものではありませんが、現段階で推測をしてみました。本来は、仮説を提示する前にもっと自分で色々調べたり観察したりするべきなのですが、時間がない…

　なぜなら、オーディオアニマトロニクス（以下ＯＡ）は衰退しつつある技術だからです。まだ私が体験していない東京ディズニーランド内のＯＡ技術が強く打ち出されている『イッツ・ア・スモールワールド』についても、私の認識が及ばなかったばかりに建造当初の状態を見ないまま改装されてしまいました。また、『イッツ・ア・スモールワールド』自体そこまで人気のあるアトラクションではないため、いつなくなってしまうのかも分かりません。荒削りの意見でも構わないので、一刻も早くこの現状に一石を投じる必要があります。

【仮説】

鑑賞体験が成立していないのではないか

オーディオアニマトロニクス技術を開発したウォルト・ディズニー氏が最もお気に入りだったOAアトラクションが「チキバード」という機械仕掛けの鳥たちが唄い踊るパビリオンです。

このチキバードに囲まれたウォルト氏の写真が残っているのですが、本当に…心のそこから幸せそう、見てるだけでちょっと泣けてきてしまうくらいのハッピー感がありますます。こんなにハッピーなら良かったよ、本人満足してたんだなあという感じですが

全然良くない!!!!!!!!

よくはないですが、少なくとも本人の意図は恐らく達成されていた、表現として完成していたということが分かります。

一方、OA無関心問題について私の友人は

「普遍的なテーマパークだから見慣れてしまっているのではないか」

と述べていましたが、見慣れているだけであれば少なくとも見慣れるまでの期間に体験した人の認知はあるはずです。ところが、OA技術がメインになっているアトラクションについてもバックグラウンドストーリーや歴史、ストーリーの感想などの声が多くOA技術、もしくは体験的な感想は見つけられませんでした。

つまり、体験的な没入が発生する以前の問題として、

そもそも体験が発生していないのではないか。
これは何を意味しているのか

【フィルタリング機能説】

没入の体験が発生するためには、そもそも機械仕掛けの人形の動作を「真に受ける」必要があります。真に受けるとは、要するに機械人形の動作を意味や記号ではなく体験として観察する必要があるのですが、このプロセスに何かしらの隔たりが生じているような気がしたのです。

そもそも、テーマパークで特定のアトラクションの体験に到達する前には様々なレイヤーがあります。

友人とのコミュニケーションだったり、記念日のお祝いであったり食事、買い物などの目的が同時に並走しつつ複合的な目的の達成を目指す行動を取るからです。

したがって、アトラクションに到達した段階で同時に多数の達成すべきタスクが発生しているということになります。

- 食事をとるべきタイミングは
- トイレに寄ったほうがいいのか
- 同行者はどんな気分でいるのか
- 時間配分をどうするか
- この後の行動指針はどうするか

このように、同時に処理するタスクが多岐にわたる場合、通常目的に優先順位をつけてフィルタリングがなされるでしょう。

私的な推測にすぎませんが、そもそもＯＡ技術を開発したウォルト氏は「真に受ける」のが極めて得意な脳機能特性を持った人物ではないかと考えています。

一方、パークを訪れる観客の多くは（一般的な社会空間と同様に）ある程度フィルタリングが得意な場合が多いでしょう。

なぜパークを訪れる人物の多くがＯＡ表現をスルーできるのかというと、客の多くは認知のフィルタリング能力が高いので動いている人形を認識した段階で「機械式の電動キャラクターが存在している」という認知に留め認知機能の負担を軽減することができるからではないか。

そのために、動作を真に受ける観察が発生していないのではないのかと考えられます。

反面、開発者と同様にフィルタリングが得意ではない人物群は、機械人形のメディアではなく動作が表現から生じるアニメーションをフィルタリングの手続きを経ずに真に受けているのではないか。

私自身ＯＡ表現のアトラクションを体感して、手描きのアニメーションは常に四辺が黒いフレームで覆われていることに気がついたのですが、ＯＡ技術による表現も実のところは「機械によって動作する人形」というメディアに覆われています。

覆われていることによって、手描きアニメーションを観るときに画面内の現象をバーチャルの空間に移し替える手続きと同様、観客に安心や油断をもたらす身体とイマジネーションの隔たりが発生している。

手描きのアニメーションはあらかじめ「アニメーション」というフィルタリングが施されているために、メディアの器に収まったイマジネーションを虚構の空間に移し替えるという1つの手続きだけでイマジネーションと接続することができるのですが、

ＯＡ表現については

㋑媒体として身体空間との接続を切り離すためのフィルタリングを施す

（これは機械人形が動いてストーリーや情感を伝えるメディアになっているのだという認知）

㋺身体空間の優先付け

（身体空間を優位のものとし、メディアとしての空間を二次的な空間、虚構性を帯びた客体的な空間と捉える認知）

㋩客体的空間のイマジネーションを改めてバーチャルの領域に移し替える認知

（メディアとしての機械人形が存在しないバーチャル空間の器にイマジネーションを移し替える作業）

というかなり複雑極まりない手続きが、ただでさえタスクの多い状況下で発生します。

この環境下で㋩まで到達するのはかなり困難なので、㋑～㋺辺りの手続き下で鑑賞される。

結果としてイマジネーションの発生が起こらずに「休憩所」となってしまうのではないか。

演劇などの舞台表現は、あらかじめ客席と舞台の間に性質の異なる空間として隔たりが設けられ、フィルタリングが完了しているために㋑、㋺の手続きを経る必要がありません。㋩の隔てられた空間をバーチャルに移し替

える手続きを経た上で、バーチャル空間のイマジネーションと身体的空間が徐々に倒錯し身体的な空間にイマジネーションが投影されているような限定的な呪力が発生するのです。

これはフィルタリング機能を持つ人物にとってはイマジネーションと身体を同時に生じさせる体験を発生させるために合理的なプロセスです。

オーディオアニマトロニクス技術がアミューズメント施設よりもむしろ主として映画の撮影技法として用いられてきたのも人類の多くがアニマトロニクスを楽しむためにはフィルタリングが前提となってくるからでしょう。

【結論】

超もったいない

ディズニーアニメ『ピノキオ』ではウォルト氏の人格がダイレクトに反映されていると思われるゼペットじいさんというキャラクターがでてくるのですが、彼は機械仕掛けにのめり込むあまりに父性を喪失した人物として描かれています。作中、奇跡によってピノキオが人間になりますが、父性を獲得するのはなんか小粋な虫のキャラクターであってゼペットじいさんではありません。ピノキオが人間になった奇跡も「本来起こりえない奇跡」というか、暗示的にはじいさんと創作の孤独な対話によって生じた昇華、物理的な解決ではない創作活動上の魂の救済であるように読み取れるのですが、解釈は一先ず置いておきます。

ウォルト氏はやはり、イマジネーションをバーチャルの空間から引きずり出して身体的空間と同期させたいと考えていたのではないかと思うのです。

ＯＡ技術は、開発された年代を考慮すると信じられないオーパーツ技術であるように思えますし、あまり類似するアプローチが現代においても私はちょっと思い当たらないくらい大胆なメディアです。これがもし、映画の鑑賞のように特定の鑑賞体験におけるお約束のコードを獲得して成立すれば、いまだに具現化していない人類を飛躍的にハッピーにする技術が立ち上がる可能性すらあったのかもしれません。

それもウォルト氏が亡くなった現代では夢物語となってしまいました。かつてＳＥＧＡがゲームハードを開発していたときの壮大な夢と想像に近いものがあったのかもしれません。ＯＡ技術はＡＲ的な発想の現実拡張と言えるでしょう。現在一般的に発展したのはＶＲ的な発想の拡張現実ですが、数十年後には違う形でＯＡ技術の発展形を見られるのかもしれません。そのときに我々はウォルト氏が描いた理想的ヴァーチャルの発展形に近いものを見られるのではないかと思う次第です。

【追記】

ディズニーランドにも行ってみた

せっかくなので、後日ディズニーランドにも行ってみました。目的はもちろん、ウォルト氏が生前最もお気に入りだったというＯＡ式アトラクション『魅惑のチキルーム』を体験するためです。施設に近づくと、『シンドバッドの冒険』を彷彿とさせる休憩所オーラ。施設内に入っていく人々の何も期待していない無の表情。担当キャストがゲストに手を振るときのさほど張り切っていない空気感。これは（ＯＡ的には）期待ができそうです。あらかじめ調べていたので知っていたのですが、東京ディズニーランド内の『魅惑のチキルーム』は不人気のため、ストーリーにテコ入れ改変がなされており、現在では『魅惑のチキルーム：スティッチ・プレゼンツ〝アロハ・エ・コモ・マイ！〟』として上演されているそうです。（ＯＡファンとしては）嫌な予感しかない。私情を挟むことになってしまいますが、私は個人的にスティッチが大嫌いです。ディズニーキャラクターは大抵好きなのですが、スティッチだけはどうにも受け入れがたい。何が、と言われると難しいのですが全体的に苦手です。低迷期のディズニーが『Ｅ．Ｔ．』を露骨にやりにいってしまった感じ、ひいては『Ｅ．Ｔ．』の極めて絶妙な、もしかしたら愛せるかもしれないと感じさせ観客の感情を拡張する不気味さを、品種改良された小型犬のようなデフォルメでポップにしてしまった点も不快です。しかし、スティッチの側も昨今は流石にアンチが多いことを自覚しているのでしょう。気のせいか、アトラクション付近のスティッチの看板でもキングコングの西野さんのような、どこか賛否両論系 YouTuber のような味のある佇まいを見せているように感じられます。私の受け取り方の問題ですが。受け入れるしかないのか。覚悟を決めアトラクション内に入ると、頭上のバーに無数の鳥が止まっていてゲストを迎え入れてくれました。嬉しい。このままスティッチが現れなければどれほどいいだろう。あたりを見渡すと、やはり盛り下がっています。鳥が何？　というムード。どうやら鳥はあまりキャラクターとしては認識されていないようです。「チキ」じゃないんだよ、早くキャラクターを出せ、とまで思われているかは分かりませんが、観客のリアクションは基本的に無。それに対してキャストの方々が「拍手をしましょう」と何度も呼びかけているものの返ってくるのは沈黙と失望。私以外の人は別にただのしゃべる鳥には興味がないので、スティッチが出現してやっとその場全体が温まったというか、安堵の空気が流れました。私自身は、事前に知っていたのである程度心の準備はしていたつもりだったのですが、本当に現れる直前まで頼むから現れないでくれ……と一縷の望みを捨てられず、実際にスティッチが現れてしまったことでひどく失望しました。当然自分以外にとっては朗報なのですが。他の方からしたら、スティッチが出るまでは本当に鳥がピーチクパーチクしているだけの前座だったのだろうと思います。ストーリーも大幅に改変されてしまい原型をとどめていない状態だったので、もうこうなったらアメリカのアナハイムでオリジナル版の『チキバード』を体験するしかない、しかもOA技術はあまり評価されていないのでなるべく早い段階で……。

私はこのように決意した次第です。

ポーツマス

突然猫ひろしの「ポーツマス」を思い出して哀しくなった。

ギャグって大体哀しい。ギャグだから。

人生はギャグではないのにギャグは「ギャグ」としてそこに存在してしまうという実態があり、ギャグとして機能する意味性以外の余白が全てギャグ以外の迫真の実態を浮かび上がらせる強固な舞台装置となる。

そこに出現する人間の輪郭が、嘘みたいな白々しさを、人間が人間でいるために偽装した全ての機能性を吐露する瞬間。

立ち現れてくるキャンセルできない目撃が、基本的なギャグの舞台装置としてある。

だから哀しい。特に「ポーツマス」が一番哀しい。

伝わらないから。何も伝わっていないから。

そこに年季の入ったうなぎのタレのような照り光る熟年の伝わらなさが凝縮されている。
本人の生き心地が丸ごと折りたたまれて、ハンディーでポータブルな深刻さがカラッとしたスタイルで提案されている。

なんの影響もない。何一つ影響がない。

シャツの襟にかかった一点の雨のシミのように、音もなく消えている。

そもそも根本的に人間が「密」だから、無数の輪郭の内容物がベルトコンベアーで運ばれて消失するシステムが大いなるメリットを発生させているというものののだからなんだ。

それなら点滅を繰り返す集合体でありたかった。

なぜこんなにも。我々は複雑で、便利で度を越えて無意味なのか。
空っぽは、実存よりも意味が芳醇であるというこのサイズ感の歪《いびつ》さを常に持て余す羽目になっているのか。

何一つ嚙み合わないままなのか。

根本的な掛け違えがシステマティックに無に還っていく合理性は機能としての美意識を獲得しているものの、ポータブル性は代替物としての役割を根本的に破棄しかなぐり捨てているというので、これはあまりにも機械的に直視しないための理由のない整然としていない飾り付けであって、レンタルスペースに配置された汎用バルーンのような、あまりにも取ってつけたような装飾の集合体として誤魔化される猥雑な集合体は、一体なんだというのだろう。

せめて「消失」くらいは、直視しないと整合性が取れないというのに、ジャージャー叫ぶセミが落下した瞬間にソシャゲのガチャのような演出がいちいち挟み込まれてくるものだから納得をするというためしがない。

「ポーツマス」は哀しくてよかった。

巨大な電光掲示板のＬＥＤが一つ、点滅して消えるのを確認した。

たったそれだけのことを目視して確認できたことがよかった。

「突然の熱海」をやりにいく、コントローラブルな主体概念としての「30代女性」

【「プレーン」とわたくし】

私はあるとき、突然飲食店で「プレーン」を選択できる自分を発見し驚きました。それまで、つまり27歳くらいまでの私は、飲食店で「プレーン」を選択することができなかったのです。いや、「できなかった」は語弊があるでしょう。より正確には、そんな選択肢もあるとは知らなかった、というか。

例えば餃子の専門店であれば、「プレーン」の餃子を注文するという選択肢はハナから存在しておらず、なにかメニューの中でも「エビニラスープ餃子」などといった最も特別な感じの餃子を注文するのが常でありました。なぜなら、私は自分が特別な存在だと思っていたからです。ここで言う「特別な存在」とはヴェルタースオリジナルのCMにおける「特別な存在」と全く同じ意味合いです。つまりは「**今この場で生きているこの私はここにいる私以外にありえない、代えが利かない当事者として唯一無二のわたくし**」という意味合いです。他人からすればありふれた人間存在に過ぎませんが、当事者としては誰しもが常に特別な存在です。そういった特別さを踏まえた上で、市販の特別な飴によって普遍性と代え難い当事者性を同時に得るというヴェルオリの精神性は極めてクールかつ画期的であると言えるでしょう。この思想体系は私の行動原理に大いなる影響を与えました。

私は生まれた段階で、長子の姉と年子の次女であって、「一姫二太郎」的な、昔ながらの俗説的状況を期待していた両親から常に直接的には表沙汰にされない水面下のガッカリムードの圧のようなものを感じ続けていました。そのため、自分で自分にスペシャルな待遇を施さなければ気が済まない「特別な存在」のアスリートと化してしまったフシがあります。生まれた瞬間から大人がガッカリしている顔をよく見ていたので、今でもガッカリしている人物の絵を描くのが得意です。「特別」という強い光と、「ガッカリ」という濃い影を組み合わせることでかなり上手くバランスを取ってきたのではないでしょうか。これは私の人生における大きな成功体験と言えます。従って、いかに内的なパーティータイムを外界にバレないように開催するか、特別さを自分自身の手でゲットするかという側《はた》から見れば牧歌的ですが、本人にしてみれば深刻なデュエルを長年にわたり繰り広げていたのでした。

　このように「どうすれば今、この瞬間が特別になるか」ということを突き詰めていくと、それは「差異」に帰結します。差異とは。つまりそれは普通である、一般的である、平凡である、日常的な状態と差異があるということです。ズレている、逸脱している、イレギュラーであるといった。

　重要なのは、**追求する「特別さ」が他人から特別に見えるということではなく、あくまで自分にとって「特別」という点です。**たとえ他人からは信じられないような日常であったとしても、マリー・アントワネットにとってそれはマナーや態度を厳しくチェックされる極めて平凡な日々繰り返される審判の場としての食卓に過ぎないのかもしれません。私にとって特別な状況とは、私にとって逸脱し、日常から差異があり、私自身の心を浮き立たせエネルギーや輝きの源を与えてくれるような状況のことなのです。

「普通がいいんだよ、普通が一番」と、したり顔で言われたことがありますが、他人にとっての普通など私は知りませんし、関心の持ちようがありません。そもそも私はその内実を全く知らないのですから。

ところがこういった私自身の考えは徐々に覆されるようになります。なぜか。それは、私自身の人生の体感時間が増えるにつれて、日々の体感が極限に相対化されていく為に、差異や逸脱がない存在、つまり「プレーン」に対して自分の中で位置付けを発見できる、言い換えればより微細なところにある「差異」を見出せるようになったからです。「違いが分かる人」というフレーズが贈答品の広告に用いられることがあります。少々鼻持ちならない印象の表現ではありますが、「違いが分かる」とはどういうことなのか、改めて考えてみるとそれは「逸脱をせずに特別である」ということになります。ちょっと待ってくれ、特別とは差異つまり逸脱のことではなかったのか、と思わずにはいられませんが

実は連続的なものとしてあらわれている「平凡さ」の中にも「特別」は見いだすことができるのです。

なぜか。それは、一見「平凡さ」として立ち現れている連続体は、実のところ全く連続的ではなく、コマ撮りアニメーションのように独立した瞬間の総体でしかないからです。

「平凡」な「日常」や「繰り返される安穏とした日々」という幻想は徹底的にまやかしであります。しかし人間は「連続体としての時間」という幻想が、幻想であることを認知し続けることはできません。できませんが、経験を積み重ねることによって、時間というものは掛け替えなく切断された、どうにもならないくらいにちりばめられた情緒のダイヤモンドダストの総体であるということを頭の片隅に置いたまま、徐々に平然とシャツにアイロンをかけたりメ

ールを返信できるようになってくるのです。これが広義には「違いが分かる」状態というか、全ての瞬間が差異の断片にすぎないことを理解しつつ、幻想としての社会的な時間軸を同時に受け入れられるようになってくる。勿論、そうではない人もいるでしょう。しかし、より成熟するにつれ時間をより大きな物差しで相対化することができるようになるために、「とある瞬間のかけがえのなさ」と「普遍性」が矛盾なく両輪として機能するようになるのです。

　これが人間が成熟していくことで得られる大きな利点の一つです。一般的に、幼少期、あるいは思春期は過度に美化される一方で、中高～老年期を過小評価する風潮がありますが、実は成熟で得られるメリットにはこのように著しく甚大なものがあるのです。観念的であるためにあまり語られることはありませんが。

　私はこのようにして20代後半から徐々に今まで目の前に現れていなかった選択肢が現出していくのを目の当たりにしました。思えば10代のころは、ただの炭酸の水のことを「ガス」などと呼ばわり、大金（りぼんマスコットコミックスが2冊買える程度の）をはたいて注文する相対的年配者が極めてバカバカしく感じられたものです。味がついている飲み物を注文してから喜べばいいのに。ところがこのような考えは人生における比較的初期段階（20歳前後）で覆されることになったのでした。「ガス」は確かに特別ですし、一方で平凡と言える要素も含んでいます。「違いが分かる」の初級問題と捉えてよいでしょう。「ガス」にかけがえのなさと普遍性を同時に見出せるようになったら概念としての「30代女性」に足を踏み入れかけているといえるでしょう。インドカレー店でマンゴーラッシーではない「プレーン」のラッシーをセレクトしたあなたも。

なぜ「30代女性」なのか

私自身が生きていく上で最も重要なものとして評価しているものの中に、概念としての『別冊オズマガジン』（スターツ出版　不定期発行）があります。『別冊オズマガジン』とは大人の女性向けのショートトリップなどを扱う情報誌です。この雑誌を読むにあたって、なんら心の準備は必要ありません。なんなら国内で販売されているありとあらゆる雑誌の中で最も心構えなしに気楽に読める雑誌かもしれません。『別冊オズマガジン』にはこのように、なんらハードルが不要である一方、「かけがえのなさ」と「日常の普遍性」が表裏一体となった普遍的瞬間的情緒のダイヤモンドダストが極めて高いレベルで描写をされているのでした。私は打ち震え、『別冊オズマガジン』を心底抱きしめました（概念的に）。この『別冊オズマガジン』との概念的抱擁を繰り広げた先に、一つ見えてきた人生のビジョンがあったのです。

―熱海に突然移住したい―

この思念は今すぐに文字通り熱海に移住すれば達成されうるのかといえばそうではありません。そうではなく、私は突然熱海に移住できるような人物になりたかったのです。熱海に移住したいなと思ったからという理由で。

カミュの『異邦人』では「太陽が眩しかったから」という殺人の動機が明かされますが、これをデタラメだと言い切れない存在自体の不条理さというものを人間存在としての我々は確かに抱えております。たとえ「熱海に移住したい」と思っていたとしても、その動機を元に実際に「熱海に移住する」行為は、ある側面では『異邦人』以上に不条理であると断言できるのです。

　しかしながら、私はある時期決意をしました。私は突然熱海に移住する可能性をホールドしつつそれ以外の全てを達成してやろうという大いなる野望に目覚めたのです。それらの、ありとあらゆる瞬間の情緒のダイヤモンドダストにおいて、熱海へ突然移住する根本的不条理を否定しないと決意しました。

実践篇

【意図的な魂胆としての「30代女性」】

私がこの概念をはっきりと意識するようになったのはせいぜいここ1年ですが、それ以前も無意識的な領域で概念としての30代女性を行使するスキルは熟達しつつありました。「ロハス道」と言ったらいいのでしょうか。具体的なスキルの行使例を以下に列挙します。

「突然の熱海」をやりにいく、コントローラブルな主体概念としての「30代女性」

●全てのポイントを断ってよい
●帯、袋、包み紙、挙げ句の果てには木箱まで即捨ててよい
（書籍の帯に関しては、大判書籍の特色印刷だとて必ずしも例外ではない）
●サブスクで購読できる雑誌を紙媒体で読みたいからとコンビニで買ってもよい
●16時から浜辺に行ってもよい
●おにぎり専門店で「焼きたらこ」「炙り鯖」などを無視して「梅干し」を買ってもよい
●ネットで検索するよりも、その場で雰囲気がいい感じの飲食店に入ってしまったほうが話が早い
●宇多田ヒカルのプレイリストを小音量で流してもよい
●打ち合わせでコーヒー以外の全てを頼んでもよい
（ただしアイスクリームが乗っているものは溶けるのが気になってしまうので例外）

このような30代女性の行動の一つ一つは一見細かいように見えるかもしれませんが、生活は膨大な細部の集積でしかないので、もはや全てが変わると言っても過言ではありませ

ん。あるいは「ロハス」と言ってしまうと、一見あまりものごとを考えてない姿勢に感じられるかもしれませんが、現代の息苦しい日本社会においては、何も考えずに生きていると自動的に過度の「逆ロハス」の円周上で点Pとの等間隔のレースを死ぬまで繰り広げ続ける羽目になります。たとえ3年に一度太郎という名のハワイとすれ違うにせよ。したがって、「ロハス」を遂行し続けるためには常に「逆ロハス」的に働きかける状況のバイアスを疑ってかからなければならないのです。

【押さえておきたい重要な点】

2点あります。

まず、なにがロハスとなるかは人それぞれなので自分にとってロハスとして成立するかどうかを常に自分の感性で検討する必要があります。

となると、やはり20代では人生において初見の状況が多すぎて、疑惑を挟むだけのスペースを場面と自己認識の間に抱くことができません。やはり30代が点Pへの疑惑の本番という形になってまいります。30代でいかに「ロハス」と「逆ロハス」

のハンドリングをコントロールしていくかが、その後の人生のあり方を大いに変貌させる分かれ道になっているのです。

　そしてもう一つ、ロハスは決してそれ自体が目的化してはいけないということです。つまり、どういうことか。腕時計をつけている人は時間目的でしょうか、アクセサリー目的でしょうか。それはどちらでも構わないのですが、やっている行いが社会的アピールのための行いに変質してしまった段階で、それはもう絶対に「ロハス」ではありえないということです。この辺りが私が「30代女性行動」と認知している行動原理に「女性」が含まれている所以なのではないでしょうか。つまり、ロハスの匠のような人々は、絶対に自らそれをアピールするようなことはないのですが、社会的評価に結びつかない行動を忌避する傾向が強い30代男性にはむしろ過度に「逆ロハス」に迎合している節があるということです。

　ご存知でしたか？　ロハスの匠は、インスタにアップロードせず熱海に行くことが可能ですし、いなり寿司を購入するついでにお麩まんじゅうをバラで1個購入していることもまた大いなる可能性としてあり得ているということを、決して忘れてはならないのです。

やりすぎて何の意味もないのに、無駄や余白も一切ない空間」

そういうものをたまに見る。

私は以前から、

『機動戦士ガンダム』などで有名なアニメ監督、富野由悠季さんの逸話として有名な「女性器の名称をパーティー会場で突然叫ぶ」等の過激な言動は一つのキャラ作りではないか

と考えています。

富野由悠季さんがなぜ、主にゴダールなどを意識した実在しない大御所映画監督風キャラ作りをしているのか

というと

「映画」は

・偉い偉い偉い偉い偉い偉い偉い偉い偉い偉い偉い偉い偉い偉い偉い偉い偉い偉い
偉い偉い偉い偉い偉い偉い偉い偉い偉い偉い偉い偉い偉い偉い偉い偉い偉い偉

・立派立派立派立派立派立派立派立派立派立派立派立派
立派立派立派立派立派立派立派立派立派立派立派立派立
派立派立派立派立派立派立派立派立派立派立派立派立派
立派立派立派立派立派立派立派立派立派立派立派立派立
派立派立派立派立派立派立派立派立派立派立派立派立派
立派立派立派立派立派立派立派立派立派立派立派立派立

「やりすぎて何の意味もないのに、無駄や余白も一切ない空間」

人大人大人大人大人大人大人大人大人大人大人大人大人大人
大人大人大人大人大人大人大人大人大人大人大人大人大人大
人大人大人大人大人大人大人大人大人大人大人大人大人大人

その一方でアニメは

・子供だまし
・おもちゃのコマーシャル
・芸術と無縁

という感じの強固なコンプレックスが恐らくあって、自分の作品も、映画のように視聴されれば作劇意図が全て余すところなく完璧に伝わるかもしれないというほぼ「夢現《ゆめうつつ》の中で絶叫をあげながら誰よりも冷静に目を開けたまま狂っているどうにもならない透明な箱」のような著しい強迫観念があるからで

しかし現代人は映画とYouTubeを同じノリで観るのでそんな「悲壮（cute）」すぎる努力は誰にも気づかれず全くの無意味……どころか、悲壮感漂う決死の努力によってむしろ、「もうろくしたセクハラじじい」扱いをされるという散々な目に遭い、いっそう内面の冷静な狂いを加速させていくのであった。

哀しすぎて伝わらない富野選手権を一人で開催し続ける現代のゼペットじいさんこと富野由悠季氏……。奇跡は起こらないし、インターネットでは穴を掘ったり埋めたりするのに忙しくって誰も誰の話を聞いてない。

透明な箱が哀しみで埋め尽くされればされるほど見えない光の屈折で余計に何もかもが順当には伝わら

ない。
「やりすぎて何の意味もないのに、無駄や余白も一切ない空間」
それは本来、他者性であったろうに
今や強すぎてなにもかもを頑なに拒んでいる。
全てのエネルギーが社会通念上の価値への指向性をはらんでいるせいで
意味が物事への本質的な理解を頑なに拒んでいる。
時々、私たちはそんな風に矮小化されていく重力の磁場の渦中でしか物事を解釈できない集団であることが、精神的なエネルギーの流れを毀損しすぎていることが、
どうしても耐えられなくなって
言語の構造を放棄して一度に表示されている言葉を全て同時並列的に認知回路に焼き付けてみる。
そうすると精神が描くはずだった燃えつきた地図の残像がおぼろげに見えて、そこには未来から過去へと向かう時間軸が当然のように存在している。
私たちは未来から投影された精神性の残像の痕跡をかろうじて、群れのルールの外側に役割以外のところに付与された言語の精神的な性質として感じ取ることでようやく、かろうじてエネルギーの変質を得た猿の集団にすぎない。

私達はその倒立した精神の流れを遡っては進歩的な存在になったつもりでいるが、
私達の精神構造が現状の社会構造の鋳型に流し込まれている限りは
それは常に遠い過去で、我々はほら穴に暮らす。
星の光が過去の遺産であるように、私たちは未来からの精神の遺産を投影されている「かつて」に過ぎない。
『刻《とき》が未来に進むと　誰が決めたんだ』
本当にそう思うよ。
本当に。

あまりにも露骨な、ソーランを今日も(明日も)((明後日も))

私は読んで字のごとく、「露骨すぎるソーラン」のことを〝**露骨ソーラン**〟と呼んでいます。＊

＊なんの説明にもなっていませんが、これから説明をしますので、何卒ご勘弁ください。

【「ソーラン」とは】

読んで字のごとく、要するに説明するのが戸惑われるほど明らかな、露骨すぎる「ソーラン」のことです。

「ソーラン」とは北海道民謡「ソーラン節」に見られる独自のバイブス、つまりフィーリング・気合・ムードなどが渾然一体となり音韻に表れるノリの中に、「ソーラン節」独自の思想体系や覚悟が顕《あらわ》になっている現象のことです。

ヤーレン　ソーランソーランソーランソーラン
ソーランソーラン（ハイハイ）
ニシン来たかと　カモメに問えば
わたしゃ立つ鳥　波に聞け
エエンヤー　エイヤー
ハア　ドッコイショ
（北海道民謡ソーラン節より）

肉体、精神の両面で極めて過酷なニシン漁の最中に、自らを鼓舞するために歌われたのが「ソーラン節」です。「ソーラン」という言葉が具体的に何を指しているのか定かではありませんが、ギリギリのところでファイティングポーズを取っている人々が、今この瞬間の生存をただ肯定する為だけに存在する、極めて純度の高い励ましの「節」がここに密集している。

この「今・この瞬間において自らを鼓舞するしかない心情」やそれを表現した歌や様々な表現を私は独自に「ソーラン」と呼称している次第であります。

つまり『ソーラン』とは私が勝手に名付けた「何かそういうジャンルの表現全般を指すワード」としか言いようがありません。いささか強引な造語に感じられるかもしれませんが、こちらとしても苦肉の策というか。

好き好んでこちらから「ソーラン」を捜索、発見したのではなく、出会い頭にソーラン、不可抗力としてのソーラン、止むに止まれず気がついたらソーラン、凄まじいソーラン、ゴリゴリのソーラン、ドモホルンリンクルのように、鼓舞の精神から絞り出された一滴一滴をじっと見つめるソーラン。原液から液すら排した塊のソーラン。夜空に輝く20億年前の今はもうない恒星の光のソーラン、夕闇に漂うチャーハンのソーラン、置きすぎたカップ麺のソーラン、ちょっとした手土産のソーラン、キオスクで咄嗟に買った場当たり的ソーラン、一品あると嬉しいソーラン、ソーラン.com、月月火水ソーランソーラン、楽天ソーラン市場、おいでよソーランの節……という感じなのです。

【何なのか】

ソーランをもう少しわかりやすく説明する為に「エンパワメント」という概念と比較してみたいと思います。

最近よく聞かれる言葉ですね。

「エンパワメント」とは、日本語では「能力開花」であるとか、「権限の付与」などと翻訳されるそうです。先住民族運動や女性解放運動、あるいは市民運動などに用いられてきた概念で、抑圧される属性の集団が自らの市民生活を外圧ではなく自発的な意思によって統制し、差別的な構造に影響を与える力を獲得するためのエネルギーを付与する行為のことです。

少し込み入った概念ですが、「逆エンパワメント」について考えてみると分かりやすいかもしれません。例えば私は30代のウェブ関係の仕事をされている体育会系の男性から殆ど出会い頭に

「長袖着てるけど、もしかしてメンヘラ？*」


と言われたことがあります。しかも、人前で、です。

こんなものは無根拠に他者を貶《おとし》める暴言であって、殆ど名誉毀損に値する発言だと思うのですが、彼の目的は明白で、場をコントロールする力を独占しようということです。そのためにとりあえず目についた「言いやすい」人物に「逆エンパワメント」を仕掛けて勢いを剝ぎ取ろうとしているのでしょう。

野蛮な戦略であるとしか言えませんが、似たような経験をしたことがある人も多いでしょう。新顔にとりあえず嫌なことを言って勢いを目減りさせておこうという姑息な人物はどこにでもいるものです。

こういった力の剝奪行為の問題は、行う側にデメリットがなく、ちょっとした無意識の差別的精神や倫理観の欠如さえあれば無制限に執行可能という点です。黙っていても、「逆エンパワ

＊メンヘラ＝「精神疾患を抱えている人」を表すスラング

メント」の力学はこの世のありとあらゆるところに満ち満ちており、ノーリスクで行えるという特性上、殆どの人が無関係ではいられません。

この世は、ままならない。

ままならないとは、つまり権力者のクローズドな会議の場で重要なことだと認められ価値づけをされていない全てのものは過小評価され矮小化され常に外側から価値を毀損され続けるということです。

ソーラン節発生の発端となったニシン漁も、あるいはそうでしょう。肉体労働です。死の危険があります。代えが利く仕事だと、命を金に換える単純労働だと蔑まれることもあるでしょう。

これを地上で鼓舞するのがエンパワメント行為と言えます。ニシン漁に向かう意欲を削がない為の助力です。

ところが、いざニシン漁の現場では、どうか。

「ニシン漁はクールな仕事だ」

「我々は誇りと尊厳を持ってニシン漁に取り掛かっている」

「ニシン漁師にはこんなにおしゃれな人もいるし、力がない人でもパワースーツをつけてニシン漁に参加できる」

……なるほど、大変結構な話です。が

今は

それどころ

ではない

繰り返しますが、地上ではエンパワメントが非常に大切なんです。

船を漕ぎだすまでの瞬間、失望と失意の中でオールを取りこぼさないように。

ただ、今はちょっと、そういう感じではないから。

ニシンの群れ、来てるから。

となったときに必要な魂の鼓舞、それが

イヤア〜〜〜〜〜〜〜〜〜〜〜〜〜〜〜
アアア、〜〜〜〜〜〜〜〜〜〜〜〜〜〜〜アアアアア
Ah〜〜〜〜〜〜〜〜〜〜〜〜〜〜〜
ヘイヘイソーランソーランソーラン
ドッコイ
（ハイ！ハイ！）

これでしょうが！

一　目　瞭　然

今、この場における必要なもの。あまりにも厳しい現実に全身取り掛かる力。言葉にならない執念じみたエナジーの水底。

つまり、やってくしかないんですよね。全ては。

ただただ、やっていくしかない。

目の前に物事が立ちはだかったら。取り組み始めた瞬間には。もう、Just do it. しかない。
どれだけ不公平で差別的で蔑まれてものの見事にお話にならないという顔をされ、十把《じっぱ》一絡《ひとから》げの扱いをされ法律にも守られず最低賃金で命の保証すらなく
でも、やるしかないんだよ。今は、今だから。

【てか、同じソーランの同志。わかる】
究極、ソーランには言葉がいらないものです。
言葉は他者との伝達に用いられるものですが、同じソーランを分かち合うもの同士であれば、目を見て全てが通じ合うでしょう。
例えば「逆プロジェクトX」のような……何もかもが最悪の現場。部下全員に嫌われている最悪の上司が嘘八百の企画書を引っさげて、意気揚々とこちらに向かって来ます。全ての取引先、下請けが裸足で逃げ出す余りにも非現実的かつ無謀な納期、ミッドウェー海戦を思わせるデタラメな仕様書、激鬱、もう、殺してくれ。ちらりと横目で同期を見た瞬間結ばれる暗黙の了解。固く結ばれた殺意からくる不殺の誓い。
やるしか、ないんだよ。（逆プロジェクトエーックス）

これはもう、ソーランですね。

取り敢えず、今この瞬間はやっていくしかねえから！

イヤァ〜〜〜〜〜〜〜〜〜〜〜〜

アアア、〜〜〜〜〜〜〜〜〜〜〜〜〜〜アアアアア

Ah〜〜〜〜〜〜〜〜〜〜〜〜〜〜〜

へイヘイソーランソーラン
ドッコイ
（ハイ！ハイ！）
ドッコイショ

お分かりいただけましたでしょうか。つまり、これが、「ソーラン」です。

【現代における「ソーラン」】

前述したように、この世は、ままならない。ただ、明日を、その前に、本日をやっていかなければならないのだから、やっていくしかない。だから、一旦「ソーラン」を意識してしまえばこの世の至る所に裸足の「ソーラン」が走り回っていることに気がつくはずです。

代表的なソーランとして、映画『バクマン。』の主題歌に用いられた、「新宝島」というサカナクションの楽曲があります。映画『バクマン。』とは漫画家の卵が人気作家になっていく過程を描いた漫画の実写映画化作品です。

「新宝島」は、まさに漫画家に向けたソーランと（一部の人に）言われております。

特筆すべきはサビの歌詞、

このまま君を連れて行くと
丁寧丁寧丁寧に描くと
揺れたり震えたりした線で
丁寧丁寧丁寧に描くと決めていたよ

「丁寧」という表現。

メディア映えする華やかな取り回しではない、ただの事実。「個性」や「苦悩」などの他者からの消費のしやすさを徹底的に排除して「丁寧」を肯定するという、余りにも現場を意識した視点。地味な実作業にひたむきに呼応し鼓舞する態度。まさにこれぞソーラン的精神性と言えるでしょう。

あるいは、平成初期から現代までメンバーを入れ替えて活動し続けるアイドルグループ、モーニング娘。の代表的楽曲「抱いてＨＯＬＤ ＯＮ ＭＥ！」も実にソーラン的であると言えます。

この曲は、特定の職業ではなく「平成」という時代性に向けた「ソーラン」と考えられます。私はこれを「時代鼓舞性ソーラン」と分類しています。類型としては、昭和後期の「ファイト！」（中島みゆき）、平成初期の「負けないで」（ＺＡＲＤ）、平成後期の「Ｕ．Ｓ．Ａ．」（ＤＡ ＰＵＭＰ）などが該当します。

「抱いてＨＯＬＤ ＯＮ ＭＥ！」には高度経済成長末期からバブル崩壊に至るまでの最中、消費行動だけが労働者の人格として出力され肥大と収縮を反復する時代に対する、極めて現場的対応の処方箋、いわば阿波踊りのような「踊らなければ損」というメッセージが力強く打ち出されているように思うのです。

特に、他にあげた時代鼓舞性ソーランにはその時代当時に対する批評的な視座が、ややもすれば含まれていますが、モーニング娘。はなぜか、ソーラン一本。現場徹底主義。

何もかもを「ソーラン」でやりくりしようとしている魂胆が見て取れます。

阿波踊りの場合、まだ「損・得」という理屈で物事を解決しようという論点が見られますが、この場合論拠・根拠を徹底的に排除した、「ハア・ドッコイショ」に等しい、最早バイブスだけでサバイブを試みるという極限があり、これはもうソーランというより、もっと過激なところにあるもの、いわば〝露骨ソーラン〟なのであります。

モーニング娘。がコンサート前に気合を入れるために用いる掛け声

「がんばっていきまっしょい」

などもひどく露骨、露骨にソーラン。一体、なぜこうも露骨なのか。

【なぜハロー！プロジェクトは頑なに〝露骨ソーラン〟を貫くのか】

モーニング娘。に代表されるハロー！プロジェクトのPVを観ると、どうもセンターをソーランで選抜している節があります。確証はありませんので、あくまで「ソーラン疑惑」としか明言できませんが。これは商業エンターテインメントにおいてかなり不合理なことです。

なぜなら、一般的には「ソーラン」よりは「エンパワ

メント」のほうが圧倒的に商業的な性質を帯びやすいからです。金を払った分、いいこと言ってほしい。それが実際にエンパワメントとして機能しているかどうかとは別の話で、何かエンパワメントじみた態度が商業ＰＯＰには求められやすい。相田みつをさんの書などがそうです。

どうしてそうなっているのか、なぜそれが、どんどん先鋭化していくのか。

全く分かりません、しかし一旦露骨にソーランを目撃してしまうと、もはやエンパワメントなんて目に入らないような著しい露骨に身を焦がされてしまうことがある。それだけは確かなのです。

ソーラン　ソーラン

ソーラン　ソーラン

（ハイ　ハイ　）

どこまで行っても、なんかやだ

噴霧主への度し難い尊敬

＊この文章に書かれていることは、全て著しい主観です

私が上京してきた頃、ロリータファッションをしていた。当時はネットスラングで
「精神ロリ」
という言葉があった。

精神ロリとは、服を着るに際しての精神性になにかしらのこだわりを持つさまを批判した言葉である。

当時の私は思った。
ちょっと待ってくれ。
じゃあ「精神」関係ないロリータってなんなんだよ
そんなのあるのか
と思ったら、有識者によると
「普通の服としてロリータファッションが趣味です。形やディテールの要素が物質として好きなのでバイトした金などで買います」
という態度を取るのが良いとされていたのだった。
知らない人からしたら意外かもしれないが、ロリータ服を着てコミュニティーに加担する際は、精神世界を持ち出さない。そんな感じの「常識」があった。

コスプレイヤーが

「コスプレは会場外の一般社会空間では絶対にしてはならない」

と考えているのに近い流儀かもしれない。

そういうものだと言われればそういうものでしかないのかもしれないが、精神が物体として目に見える形で出現すること、それが均質でないこと、へのタブー感覚はかなりのものがあった。それはそれでかなり異常な集団という感じがする。要するに、労働者としてのプレッシャーを遵守せよという同調圧力がかなり強く働いていたのだった。それはロリータファッションの愛好者集団だからではなく単につつがない日本人としてそういう約束事のようなスタンスがあるのだろう。

「労働者」

これが分からない。

正確には「労働者というスタンス」が分からない。

賃金を得ることとは無関係な時間にも、スタンスとしての労働者という物事の捉え方があり、それがつつがないものとされているという感じがとりあえず、した。

じゃあ汎用性が高く日頃の労働にも適しているユニクロは常に「精神ユニクロ」なのかといえばそんなことはなく「ユニクロ」は「ユニクロ」である。

3800円のヒートテックが全国どこでも3800円で購入可能であり、それが失われても常に貨幣と交換可能であることが労働者スタンスなのである。これはこれで確かに素晴らしいものだ。豊かだし。

ただ、分からない。そんなにこだわらなくてもという感じ。

そのスタンスによって得られる利益、均質で日常的な価格で全国どこでも得られるシーチキンマヨネーズのおにぎりとかを当然のように感じてしまうから「ゆとり世代」とか言われてしまうのかもしれないけど。それにしても

労働者として対価を支払い商品として購入した既製服としてのロリータファッションを着用する

なぜそこまで意識を徹底しなければいけないのか理解できない。いいじゃないか。別に。どうせ我々は一人残らず生まれたときからどうしようもなく手遅れなんだから。今更なんとかして取り繕おうとしても

なんの意味もない

私が上京したばかりのころ、ロリータファッションというものは割とマイナージャンルの趣味という感じだったのでしばしばオフ会が開催されていた。

それも、あらかじめネット上で交流がある人達が集まるのではなく全く面識のない同好の士達が「お茶会」と称して急に集まるのである。いわゆる巨大掲示板2ちゃんねる（当時）の突発オフとして企画されたものだった。


今冷静に考えてみると、同じジャンルの服が好きだからといってどう考えてもそれだけで全員気が合うわけがないのだが。しかし当時はマイナーすぎて資料も貴重なので雑誌の小さい特集コーナーを切り抜いておくくらいの感じだったので、なんだかそれだ

けで問答無用で全員元々知り合いのように気が合うのではないかというムードがあった。

私が参加したのはいわゆる「原宿突発オフ」という、各々好みのブランドの服を着て原宿駅周辺に集まり、神宮を参拝し適度に買い物などしてお茶をして適当に解散って感じのものであった。

私はローゼンメイデンのようなボルドーのドールドレスに手製の紅茶染ヘッドドレス、Jane Marple の革靴に小さめのトランクバッグというスタイルで参加をした。

集まった人物は合計6名で各々好きな格好をしていたが、

よくイメージされるような、パニエでスカートを大きくお椀状に膨らませて大きなボンネットを頭にかぶったコテコテのスタイルではなく、比較的おとなしいカジュアルロリータと言われている格好の人が多かった。

膝丈のいちご柄のスカートに袖にフリルのついた白いカットソー、あみぐるみのいちごが何点か縫い付けられたストロベリーアイスクリーム色のカーディガンにベレー帽をかぶりハート型のバッグなんかを持つと典型的な（当時の）「カジュアルロリータ」という感じになる。靴は不思議の国のアリスが履いているような先が丸いもので、OLのパンプスとは何かが決定的に異なる。

当時のガーリーと呼ばれていた現象の範疇にサンリオギフトゲートの店内とかにいればギリギリ収まるといえば収まるような、しかしよく見ると、コテコテのフリル満面のロリータファッションよりもなぜか「ガチ」という感じ。本拠地、ここが大本営と言わんばかりのより根拠の強い印象がにじみ出るところがカジュアルロリータの不思議であった。私はそもそも生活という概念がよく分かってないからこれを着こなせたためしがない。

待ち合わせした原宿駅のコインロッカー前に一人だけ、異様なオーラを放つ人物がいた。

（私ではない）

突発オフに集まったメンバーはほとんど大学生くらいの年齢だったのだが、彼女はおそらく30代後半、身につけているものもほとんどが自作で、それはお裁縫された服というよりはダンボールアートに近い雰囲気、ドラゴンクエストの剣をダンボールで自作するノリに近いものがあった。

当時はロリータ関連の情報を集めて特徴をメモしていたのだが、彼女のスタイルは系統立てて説明できるような様相ではなかった。なんだかすごい。やっているという感じがある。やっている。

しかしここに「忌み」が発生した。

「忌み」とは

要するに前述した「労働者規範」である。それが発動した気配が察せられた。

無形の精神がアマチュアイズムを持って発露されていること、商品にならないものへの恐れや嫌悪のようなものが、普段はなかったことにせざるを得ないものが、関係として立ち上がってしまったという事態。

なんかこう

「心当たりのある人は手をあげてください」

のときの誰もが楽ではない空気。なんだこれは。

それがお香を焚いたときのようにジワジワ漂ってくるのではなく、消防隊が防火訓練の予行演習をするときのように大変な勢いで噴霧されてあたりが奇妙な霧に覆われたような感じ。すごい。なんだこれは。

すごいのだが、初めての突発オフだったのでなんだか変だけどこんなものなんだろうかと思った。

他の人もなんだかよく分からないからこんなものなのかという感じであった。

すごい出てるのに。やべえ。一回止めたほうがいいかもしれない。

だが我々は噴霧を看過しそのまま神宮への参拝に赴いたのであった。

神宮へ入場すると、そもそも神宮というのが日常と異なる異空間である為に著しい噴霧は停止した。

なんだか知らないが、よかった。

むしろ神宮の中では噴霧主のほうが場に馴染んでいる感じというか、年齢を重ねてきた経験値となんか若干信心深そうなムードが相俟ってなんかいい感じにマッチしていた。出会いが匿名掲示板でのやり取りを経たものだったので、ここで彼女の微妙にリアルなパーソナリティーが見えてきたことに静かな興奮を覚えた。

私が興奮のままに神宮の砂利を踏みしめていると

「ここ、お守りってあるんすかね。自カプのが欲しい」

と声をかけられた。

隣にいた女性だった。今回のメンバーの中では唯一ゴス・パンク要素のある服装をしている。

紫と黒のボーダーソックスに何かアニマルっぽい耳つきパーカー、スカートには硬いパニエが仕込まれややお椀型に広がりそこから若干ロリータの要素も感じられた。

「自カプ」とは主としてBLの愛好家がよく使う言葉で「推しのカップリング」という意味を持つ。彼女には自カプがあり、キャラクターイメージの色でお守りを購入したいとのことであった。

『イナズマイレブン』はすごいらしい。ただ、あまりにも早口なのでほとんど聞き取ることができなかった。取り敢えずグラウンドが焼け野原になったりゴールが日常的に爆発するというようなことが起こるということ、彼女の自カプがキキ・ララの様にファンシーなピンクと水色の組み合わせなのでそういったお守りを探しているということが分かった。

『イナズマイレブン』は確かにすごいが、そんなことよりも少しでも『イナズマイレブン』の世界に近づきたいがために自宅の部屋（実家）の床、壁、天井の全てに人工芝を貼り付けた彼女の自室のほうがかなり狂気を感じた。キャラクターグッズで埋め尽くされた痛部屋を予想していたので少し驚いたのだが、よく考えてみたらそれは彼女にとって当然の「マジ」であり、愛するフィクションが常軌を逸するものであるならば、当然それを愛する私自身もそれ以上に狂気へと隣接しなければならないということ。『イナズマイレブン』を現実のものとして受け入れるための徹底した超現実を作り出しているのだと理解した。どちらかと言えば、『イナズマイレブン』よりも『キャプテン翼』の狂気に近い様な気がしたが、その感想は言わずにいた。言ったとしても全然聞こえないだろうし。公式グッズよりもマジの神パワーが込められたお守りを得たいという流儀は、かなりはた迷惑で切実でグロテスクでめちゃくちゃ人間っぽい。

基本的に大衆性を意識したコンテンツは「真に受けない消費者」を想定しているから、なんでも真に受けずにはいられない人には若干つらさがある様に思える。熱心なオタクは全てを真に受けているようで自分の世界を透明にする能力が高いから公式のグッズを楽しめるんだけど、そんなことすらできない人間の思想は具現化して流通している現実を殺害しようとするエネルギーを放つ。それはちょっと戦争っぽいのでグロテスクな感じがする。そのグロテスクさに自覚があったら罪悪感によって殺意を多角的な性質を持ったエネルギーに変換できると思うんだけど、そのまま浴びると精神の領域に焼夷弾を落とされたような、焼け焦げた殺伐とした感じになって後味が悪い。それなのに強いエネルギーと異常性に惹きつけられてつい話を聞いてしまう。

「精神ロリ」みたいなものへの内的配慮ってこういうのを阻止するためにやってるのかもしれない。だとしたら結構哀しい。なぜならどちらかと言えば誰かを殺さないために作られた精神世界だと思うので。そういう性質のものがもっとマジの殺すエネルギーでしかないものよりも分かりやすくギルティーとして発見されるのはもう少し、なんとか……。

ほとんど何を言ってるのか分からなくなって外国語を聞いてるような感じになってしまった。

ふと気になって噴霧主を見ると、一人だった。前傾姿勢で黙々と本殿に向かっていた。


参拝、ショッピング、お茶などの一通りを済ませた我々は、最後にプリクラを撮って解散するということになった。

そんなに盛り上がるというものではなかった。

軽い徒労感。6人でプリクラ撮ろうとすると結構狭い。

落書きスペースで一人一人自分の顔の下にハンドルネームを書いていた。


全員カタカナ2文字でユウとかタカとか簡素なものを書いているので、私もそれに倣い「ミズ」と書いた。

最後に噴霧主が自分の顔の下に流暢な筆記体で

Alice

と書いた。

その瞬間私は、噴霧主のことが心底大好きになった。

噴霧主とは、それ以来一度も会っていないしネット上のアカウントも知らないが、今でも彼女のことが大好きだ。

「親」という他人からの親切なコメント

高校に入学したてのときに、親睦を深める合宿のような行事があり学校法人が所有する飛騨高山の別荘に泊まった。確か、2泊3日だったと思う。

合宿で何をするのかというと、高山を見学して研究レポートの発表、ディベート会、テニスの大会などである。あらかじめプログラムが設定されているので中々慌ただしい。その上、入学したてなので周りは見知らぬ人間ばかり、慣れない環境、過密な予定、苦手な団体行動、高山を見学すればドデカ一眼レフカメラを持ったおじさんが後ろからついてくる（毎年ついてくる恒例の盗撮犯罪者と聞いた）など、ストレス因子があまりに多すぎて風呂上がりに気絶した。

単純に体力がない。

空気が読めない。

そもそも、何をやっているのか全く意味が分からない。

こんなことではいけないんだよと思ったが、風呂に入ってる女子の会話が意味が分からないし終わらないから風呂から上がるタイミングが摑めなくて43度の熱湯に浸かりすぎて気絶した。直後、じわじわブラックアウトする視界の端で、古文の教員が山賊のように私の両足を持って引きずるのを目撃してからはなんだかどうでもよくなってしまった。諦めた。もうこの後は全てご自由にどうぞとなった。

その後も行動指針が読み取れずにはぐれた。移動のタイミングが分からず丸太を切り倒したものしかない広場（としか言いようが本当にないなんでもない岐阜によくある広場）に取り残されたりしたが、こちらは両足を持って廊下を引きずられているので本当になんでもないという感じであった。

最終日前日（といってもたった2泊だが、高校生なりたての身には長い旅のように感じた）の夜、丸木を並べて建築したウッディな談話用のロビーに学生が全部集められ、異様に事細かいプログラムにも本件についてはなんら内容の記載がなく又しても途方に暮れているとにわかに照明がムーディーな感じとなり、またキャンドルに火が灯されて全ての輪郭がファジーとなり空間のウッディがますますより一層誇張された。

もはや、その、なんですか？　ウイスキーの「スモーキー」とか表現されるうちの味ではないほう。その空間的、イマジネーション素粒子的なスモーキーが空間にみなみと豪勢に注ぎ込まれ、こういったジャジーですとか、シャビィですとか、分かりませんがひとえに落ち着いたバーカウンターであるような雰囲気は、これまでの日程に張り巡らされた遊びの精神を許容しない徹底管理・人権剝奪思想とは完全に対立する理念であるために、私としては
「うーん、なんともムーディーでございます」

などといって惚けていらっしゃるような面持ちでは到底あり得ず、童話ピノキオにおいて信じられないような夢の広がりの入り口と見せかけて子供らを一斉にハンティングした恐ろしい施設に連れ込まれたような、毒を飲

ませられるのではないかという疑念にとらわれ一人脱出経路を模索していると教師が各々に手のひらほどの紙片を配付し始めた。

そうして、部屋の片隅からは子供のすすり泣きが聞こえ始めた。

このように特殊環境下で判断力を低下させ生命を剝奪する意図がようやくつまびらかにされたのかと思いきや、なんと生徒は各々の保護者が事前に書いた手紙を受け渡され、読んで、そうして感動して泣いているのでした。こんなに唐突にウッディなところで。

手紙は端のほうから配付されていたので、中央付近に配置されたわたくしと、同班の面々はしばらく暇だったがムーディーな雰囲気を真に受け、身辺事情の理解から、わたくし以外はだいぶしんみりしていた。偏差値が高いせいか手紙の内容、今後の状況をあらかじめ予測してもう泣いている人物もいた。

わたくしとしては、危険自体でないことは了承したものの、やはり信用できないというか、ウッディが過ぎる。やはり詰め込み教育の直後の過剰ウッディにはブラック企業の洗脳合宿のような異常性、異変性を感じ、かといって悪意があるほどではないのでどうも治まりが悪く、かといって何かしらの感情も霧消。しばしまんじりと座した。

対面の生徒を見ると、手紙は用紙などが指定されておらず各家庭であつらえられたもの、平均的には400字詰3〜4枚程度のボリューム感。ちょっとしたライナーノーツくらいの分量があるように見受けられた。

そうしてわたくしのところにも母からの手紙が手渡された。

手紙は、キッチンにおいてあるメモ用紙を二つ折りにしたもので内容は

お土産

いいのあるといいね

とあった。虚無である。

当時は、かなり暗い気持ちになり、周囲を見わたすもみな一心不乱に手紙を読むばかり。極度に暇なのでより一層暗い気持ちになったが、今思うとすごくいい手紙だった。最高の手紙だった。

母は、ここで手紙にしてもわざとらしくて、嘘っぽくて、バカバカしく惨めに感じてしまうわたくしの性分をとてもよく理解して、余計なこと一つも書かなかったのでした。当時はそんな気遣いも分からずに、手抜きだと思ってしまった。

そういえば母は、栄養士の学校にでも進学しようかと考え資料請求をしていた私に

「よく分からないけど芸術とかはやらなくていいの?」

と声を掛けてくれたこともあった。そんなことありますか。

ここまで分からない状態のものを、分からない状態のまま受け入れるとも放置とも言えない絶妙な態度でそのままにしておいてくれたこと。何十枚もの『それらしい母親がそれらしい手紙を書くという感情労働をするに値する人物ですよ』という証明書を受け取るよりも、よっぽどありがたかった。したがって、私も母に伝えたいことが何もないがこれでよしとする。

あとがき

この本を作り始める少し前に私は、もしかしたらこのままだと出版文化が完全になくなってしまうかもしれないから、これを阻止するために自分にできることを死に物狂いで、意味がなかったとしてもできる限り全力で、かたっぱしから何もかもやってみるしかないかもと考えるようになりました。

そもそも私自身は、自分が本が好きだとは気がついていませんでした。なんというか、本を手にとって読むのは呼吸くらい普通のことです。テレビが好きで、毎日何時間もテレビを見ている人が、わざわざ自分のことをテレビ好きだと思わないのと同じです。というか自分が高校生くらいのときは、多くの人が常に文庫本1冊くらいはカバンに入れて、暇さえあればサッと開いて読んでいたような気がします。それをずっとやっているだけで、スマホの普及で本を持ち歩いている人が少数派になるなんて夢にも思っていませんでした。私はこれだけ本が流行らなくなっても暇さえあれば読みまくっているので、多分好きなんだと思います。というか出版物が大好きです。強いて言えば命というか。読むなら物質の本じゃないと嫌なので、ずっと存在していてください。本だけは絶対になくなったら困る。映画はまあ、なくなる気配全然ないけど最悪なくなってもいいよ。（あまりにもひどい）

こういった、完全に独善的かつ個人的な欲望により、私はどうしたら出版物がなくならないで済むのか本気で考えるようになりました。そもそも、どうして本を読まないのか。それは、スマホで見れるインターネットに比べて、本は実物を手に取れないと読めないし、有料だし、すぐに気持ちよくなる細かい報酬なんかも別にないからです。人間がワガママになったと結論づけるのは簡単ですが、それよりも出版物がなくなってほしくないとか思っている私のほうがよっぽどワガママですし、なんでもすると考えた以上は全ての問題を現実的に解決するしかありません。こうして私は、誰にも頼まれていないのに、勝手に内心のプロジェクトXをやり始めたのでした。

まず、最大のネック、有料という問題。これがかなり大きいのではないでしょうか。特に文章って、同じフォーマットのもの、つまり、他人の考えが記された文章自体はSNSで最も手軽に大量に見られるものですから、ありがたみがあんまりありません。この問題を解決するために、私はお金を払ってでも読みたいくらい斬新で有用で、かつ自分が心から書きたい文章を書きまくることにしました。こうすれば、双方得でしかありません。しかも、ひとつの文章でもお金を払いたくなるように念を込めて書いたので、それが大量に集まった一冊となれば、もうお得以上のなにものでもありません。本文中にも書いたのですが、私は本という製品はこの世で値段がついている全ての物質の中で、最もお買い得な商品だと思っています。内容（一人の人間が一生かかって得た考えなど）と対比して、価格があまりにも驚異的に、度がすぎて異常に安すぎるからです。本書を作る上では、この過激な考えをさらに推し進め、もはや読んでいるだけで得すぎて、読む端々からお得が地面に溢れでるくらいの、信じられないお得感があるよう意識しました。

私ごとではありますが、かねてから千利休にすごく憧れていて（ワナビーです）、利休のように、人類史上最大規模のおもてなしをしたい気持ちがあります。流石に人類史上最大規模というと、そうできるものではありませんが、一人の人間にできる限界のサービス精神を込めたつもりです。これが利休でしたら、一人の大名をおもてなしして終了になってしまうところですが、本のすごいところは究極的な心配りを、無尽蔵にいくらでも複製して人にお届けができるということです。これで、有料に対する懸念はある程度払拭されたように思います。なぜならば、お得すぎて買わないほうがむしろ損だからです。有料がN

Gとは、つまりコストパフォーマンスに過敏になりすぎているということであって、逆に常軌を逸してお得な場合は、もう買うしかありません。

次に、細かい報酬がないという問題ですが、これも3～7行につき一つくらい脳が弾けるように嬉しくなる、誰も言っていない意見などを述べることで解決に導けたように考えております。細かい報酬を与えてくれるというサービスをスマホがやっているのですから、こちらもやらない手はありません。これは単に手数の問題なので、従来的な本というフォーマットによくあった、何十ページか読んで、自分で考えると報酬が与えられるシステムでは正味少ないような気がします。このままでは本が本であるせいで退屈だと思われてしまうかもしれない（思われつつある）ので本も読んでいただく方にどんどんサービスをしていくべきだと思うのです。もちろん本最大の醍醐味である、読んでいる人が自分で考えるからよけいに面白いという特徴も、読まないと読めない以上担保されています。

最後に、本は物質でないといけないという点。これについては、筆者には太刀打ちができませんので、本のデザインの達人祖父江慎さんにデザインをやっていただくことで解決可能になりました。すごく時間はかかりましたが、打ち合わせでデザインを見たときに、こんなにデザインが良ければ、もはや読まなくても持っているだけで得だなと思い、たいへん嬉しく、飛び上がりそうになりました。もちろんデザインさえ良ければ本がいいものになるかと言えばそうでもなくて、内容を極限まで読み込んでデザインと渾然一体となっているからこそ、読まなくても得なほど価値が生じているのです。本は、人間の意思が具現化した物質なので、その場にあるだけで空間に大きく影響を与えます。だから、いやな本は読むだけ読んで部屋には置いておかないほうがいいし、自分にとっていい本は読まなくても別にいいから部屋に置いといたらいいんです。

料理研究家の土井善晴先生が『一汁一菜でよいという提案』（土井善晴・２０１６年　グラフィック社）という、これまた読み得というか、むしろ読まないほうが損とも言える面白い本を出していらっしゃいますが、私は『ジャケ買い無読で良いという提案』という本を出したいくらいに思っております。冗談ではなく本気です。般若心経の経本が仏壇の上にちょっとあるだけで、なにかありがたい感じであるのと同じです。本は、タイトルや物質としてのたたずまいが目に入ってくるだけで、人間の行動に影響を与えますし、それは人生にも大いに影響を及ぼします。だからなるべく多くの人に本と仲良くしてほしいし、そうすると、大げさかもしれませんが、人類全般が多少マシになっていけていいんじゃないかと思うのです。人間は結構ヤバいので、根本的によくなることはできませんし、物事を一気になんとかする便利な解決方法もありません。だから常に、若干マシになり続けるしかないのです。そのために、本という人間の意思が具現化した物質は大いに役に立つんじゃないかなあと思っている次第です。戦争とか、いつかは死語になりますように。

私が本大好きなせいか、この本を一緒に作ってくださった方も本に並々ならぬ熱意のある方ばかりで嬉しかったです。何度も何度も読み込んで、限界までベストな掲載順を検討してくださった編集担当の上田智子さんありがとうございました。ご本人も実力者なのに、何をしているか聞かれると笑って「アルバイト」とお答えになる、非常に謙虚な方でこの実力ギャグには度々哄笑致しました。デザインを引き受けてくださった祖父江さんありがとうございました。デザインを見たときに、こんなに飛び道具なしで、実力だけでこの信じがたい千年どこかに閉じこもっていたような水準まで仕上げられるものなんだと思って、仕事の真っ向勝負具合に思わずなにかしら念仏を唱えたくなるほどでした。そのほかにもいろんな方にいい形にしていただいて、感謝しきりでございます。なにより手にとってくださった方に最大限の謝辞を述べてこの本をおわりにしたいと思います。おわり。

水野しず（ＰＯＰ思想家／イラストレイター）

１９８８年生まれ。岐阜県出身。武蔵野美術大学造形学部映像学科中退。note 連載中の『おしゃべりダイダロス』は難解なのに読みやすい爽快な面白さで評判に。「嫌さ」表現のスペシャリスト。論考のほか、イラストレーションや短歌でも独自の表現を追及。面白くて新しい雑誌『imaginary』編集長。

＊ 本書は、note「水野しずのおしゃべりダイダロス」（２０１９年11月～２０２１年12月）の一部を再構成し、新たな書き下ろしを加えたものです。

編集　上田智子
ブックデザイン　祖父江慎
ＤＴＰ協力　志間かれん（cozfish）
小野朋香（cozfish）

親切人間論《しんせつにんげんろん》
2023年3月31日 第1刷発行

著　者：水野《みずの》しず
発行者：鈴木章一
発行所：株式会社講 談 社
〒112-8001
東京都文京区音羽2-12-21
編集：03-5395-3400
販売：03-5395-3606
業務：03-5395-3615

印刷所：大日本印刷株式会社
製本所：大口製本印刷株式会社

落丁本・乱丁本は購入書店名を明記のうえ、小社業務宛にお送りください。送料は小社負担にてお取り替えいたします。なお、この本についてのお問い合わせは編集宛にお願いいたします。

定価はカバーに表示してあります。

ISBN 978-4-06-531376-3

KODANSHA

JASRAC 出 2300985-301